지구로부터의 탈출 1

지구로부터의 탈출 1

지은이 승재우

발 행 2024년 06월 24일
펴낸이 한건희
펴낸곳 주식회사 부크크
출판사등록 2014.07.15.(제2014-16호)
주 소 서울특별시 금천구 가산디지털1로 119 SK트윈타워 A동 305호
전 화 1670-8316
이메일 info@bookk.co.kr

ISBN 979-11-410-9093-7

www.bookk.co.kr

지구로부터의 탈출 1

차례

지구가 파괴되던 날

　우주 공간, 태양계 밖 어디에선가 갑자기 나타나, 마치 목표 지점에 정확하게 도달하려는 듯 시시각각 진행 방향과 속력을 조절하는 괴물체는, 그윽하게 우주 공간을 가로지르며 지구를 향해 날아들고 있었다.

　소행성도 아닌, 그렇다고 혜성도 아닌 그것은 학계에 알려지지 않은, 말 그대로 괴이한 물체였다. 예상 가능한 이동 경로를 가지고 있지 않았으며 그 형태 또한 생소하여, 그 어떤 천문학적 용어도 가져다 붙일 수 없을 정도였다.

　그것의 생김새는 마치 시커멓게 탄 군고구마를 연상시킬 정도로 뭉툭하게 길고 표면이 울퉁불퉁했으며, 최대 길이는 약 500km 정도로, 갑자기 나타난 우주 공간의 부유물치고는 꽤 큰 편이었다.

　소행성의 한 종류라고 억지스럽게 우겨볼 만도 하지만, 괴물체라고 표현할 수밖에 없는 요소 중의 하나는 그 몸체의 둘레를 따라 일정 간격으로 툭 튀어나와 있는 열두 개의 뾰족한 날개이다. 그것은 누군가가 곱게 빗기라도 한 것처럼 몸체와는 달리 매끄러운 형상을 하고 있었다. 그리고 몸체의 양 끝단 일부는 고온에 달군 쇳덩이처럼 빨갛게 달아올라 있었다. 그러므로 그것은 지구인의 기준에서 괴물체라고 표현하기에 충분하다.

그 괴물체가 태양계로 정의된 구역을 막 지났을 무렵, 어떤 이유로 인해 진행 각도가 미세하게 틀어져 지구를 비껴갈 것 보였다. 하지만 어느 순간 그것은 다시 방향타를 조정하여 그 진로의 종점을 다시 지구로 조정했다. 목적지가 지구라면 태양으로부터의 영향을 최소화할 수 있는 경로를 설정해 올만도 했건만, 그것은 그런 것에 개의치 않는다는 듯 저돌적이었다. 그리고, 뛰어난 실력의 양궁 선수가 쏜 화살이 과녁의 정중앙을 향해 날아가듯, 그것은 이상하리만큼 정확히 지구의 정중앙을 목표로 다가오고 있었다.

그 거대하고 괴상한 물체는 지구에서 처음으로 관측된 지 1년도 채 되지 않아 지구 대기권을 뚫기 일보 직전까지 다다랐다.

그렇게 지구와 인류, 그리고 지구상의 모든 생명체가 뜻밖의 멸망을 맞이하는 순간이 다가왔다. 하지만, 아직은 '모든 생명체의 멸망'이라고 간주하기에는 일렀다. 일단은 지구에서 조금은 벗어난 우주 공간의 한 지점에서 그 광경을 지켜보고 있는 지적 생명체, 즉 인간들이 있기 때문이다.

그 정체불명의 괴물체가 지구에 초근접 하기 사흘 전에 지구로부터 가까스로 탈출한, 급조된 452대의 우주 비행선에 나뉘어 탑승해있는 약 13,560명의 '선택된 생존자' 또는 '피난민'이라 불리는 사람들이다. 원래는 500대의 우주 비행선이 지구를 박차고 출발했으나, 그중 48대는 대기권을 벗어나기 전, 또는 벗어난 직후 어떤 문제들로 인해 폭발하거나 추락하였다.

그렇게 약 13,560명의 사람이 일단은 위기에서 벗어나 생명을 보전한 듯 보였다. 대다수 피난민은 자신들이 지구의 멸망으로부터 무사히 피신했다고 믿었다. 물론 그 순간 그들은 분명히 거대한 위협에서 나름 안전하게 피신해 있었으나, 그 누구도 그것에 대한 기쁨을 서로 나누지도, 표현하지도 못했다.

피신했다고 한들 그뿐이었다. 지구에서 조금 벗어나 금속 덩어리 안에서 일단은 목숨을 부지하고 있었지만, 그다음이 명확하지 않았다. 이른바 '탈출선'이라고 불리는 우주 비행선의 제작 목적은 표현 그대로, 그저 지구에서 탈출하는 것뿐이었기 때문이다. 이 사실을 알고 있는 사람들은 전문가들이 계산한 괴물체의 예상 진행 방향이 틀렸거나, 또는 그것이 지구를 아슬아슬하게라도 스쳐 지나치길 바라고 있을 것이다.

그렇게 일단 위험에서 벗어나 있는 피난민들은 푸르고 아름다운 지구가 정체불명의 물체와 충돌하려는 장면을 망연자실한 채 기다렸다. 그리고 얼마 지나지 않아, 거대한 괴물체는 우주 공간에 떠있는 탈출선 속 피난민들의 시야에 언뜻 포착되었다.

그 괴물체는 단지 멀리서 바라보는 것만으로도 두려움을 일으킬 정도였다. 어쩌면, 오히려 그 생김새가 명확하게 보이지 않는다는 것으로 인해 더 그러했을 것이다. 두려움이 착각을 만들어, 피난민들은 언뜻 보이는 그것을 자신의 기억 속에 있는 가장 흉한 괴물의 모습에 대입해 머릿속에 그려냈다.

괴물체는 점점 지구로 다가왔다. 그리고 피난민들은 그 괴물체와 지구가 서로 맞닿기 직전의 장면을 자신들의 눈을 통해 직접 보고 있으면서도, 지구가 이런 식으로 최후를 맞이한다는 것 자체가 믿기지 않는다는 듯 각자가 나름의 방식으로 한탄의 표현을 반복했다.

그런데 어느 순간, 달의 움직임이 이상해지기 시작했다. 언제나처럼 일정한 공전 궤도와 거리로 지구를 맴돌던 달이 갑자기, 그 궤도를 이탈하여 정체불명의 괴물체가 날아들고 있는 방향으로 이동하기 시작한 것이다. 이 역시도 모두가 예상하지 못하고 있던 것이다.

인류가 발견하고 배운 천문학과 물리법칙이 다시 한번 뒤엎어지는 장면이 펼쳐지고 있었다.

달의 움직임은 산짐승이 먹잇감을 발견하고 그것에 달려드는 것처럼 굉장히 격하고 매서웠다. 탁구공이 튕기듯 순식간에 자신의 궤도를 이탈한 달은, 지구로 다가온 괴물체를 향해 쏜살같이 내달리기 시작했다. 그리고 그와 함께 지구의 바닷물이 출렁이며 거대한 해일이 육지를 덮쳤다.

그렇게 원래의 궤도와 그만의 물리법칙을 깡그리 무시하며 움직이던 달은 잠시 후 지구에 다가온 괴물체에 초근접 했고, 그 둘이 충돌하기 일보 직전이 되었다. 달은 수시로 진로를 조절하며 구불거리는 동선을 그렸고, 이동 중이던 괴물체의 경로를 정확하게 계산이라도 한 듯 괴물체의 중심을 향해 달려들었다.

괴물체와 달이 충돌했다.

그들이 충돌한 직후, 괴물체의 열두 날개에서는 어떤 빛이 순간적으로 번쩍였고, 지구로부터 탈출하여 우주 공간에 둥실 떠 있던 탈출선들은 그 알 수 없는 빛과 그들의 충돌로 발생한 충격파로 인해 순식간에 일제히 파괴되었다.

무사히 탈출했다고 믿었던 선택받은 피난민들은 모순적이게도, 오히려 지구에 남아 있던 수십억의 인간들보다도 더 먼저 사라져 버리게 된 것이다. 하지만, 그것은 우선순위의 문제일 뿐이었다.

달과 충돌한 괴물체는 즉시 12개의 날개를 분출시켰다. 그리고 그 날개들은 몸체가 이루지 못한 목적을 자신들이 대신 이루겠다는 듯, 자신들의 몸체와 충돌한 달을 피해 다시 지구로 날아들기 시작했다. 곧 그것들은 지구의 대기권으로 파고들었다.

달의 궤도 이탈과 그 충돌 직후 발생한 충격파, 그리고 급격한 자전축의 변화로 인해 지구상의 모든 육지는 일반적인 의미의 지진이라는 단어를 감히 대입할 수 없을 정도로, 마치 양쪽에서 가벼운 종잇장을 맞잡고 흔드는 것처럼 강하게 요동을 쳤다. 그리고 바다와 강을 포함하여 지표면에 자리 잡고 있던 모든 물질은 순식간에 공중으로 솟구쳐올랐으며, 그 후 큰 파도가 반복적으로 일어 육지를 덮쳤다. 또한, 곳곳에서는 화산이 폭발하기 시작했다.

괴물체와의 충돌로 인한 강한 충격에도 원래의 형태를 대부분 유지하고 있던 달은, 자동차 레이서가 급히 코너를 파고들듯 그 쟁반처럼 생긴 날개들을 향해 재차 돌진했으나 그 속도와 수를 감당하여 막기에는 역부족이었다.

괴물체의 몸통에서 떨어져 빠른 속도로 대기권으로 진입한 12개의 날개는 마찰열로 달구어지고 있었다. 그런데, 어느 순간부터 속도가 줄고, 대기와의 마찰로 인한 불꽃이 사그라지는가 싶더니, 갑자기 안개와 같은 기체가 그것으로부터 뿜어져 나와 순식간에 지구의 대기를 골고루 뒤덮었다. 그로 인해, 지구의 지표면에서 바라보는 하늘은 마치 온통 먹구름으로 뒤덮인 것 같았다.

그런 후 그 기체는 거센 빗물처럼 변해, 지구 곳곳에 뿌려지기 시작했다. 그것은 단순히 하늘에서 내리는 비쯤으로 느낄만한 정도가 아니었다. 그 장면에 빗댈만한 자연적인 표현이 없을 뿐, 하늘에서 양동이로 물을 퍼붓는 것처럼 매서웠다.

그렇게 단 1분 만에 해수면이 약 10m 정도가 상승했고, 거기에서 그치지 않고 촘촘하며 거세게 떨어지는 액체 방울은 계속해서 지면으로 떨어졌다. 그리고 결국, 오래지 않아 모든 지표면이 그 액체에 잠겼다.

계속해서 지진도 발생하여 지구 전체가 울렁임을 지속하였다. 그와 함께, 알 수 없는 기체는 계속해서 대기에 머물러 태양 빛이 90% 이상 차단되었고, 그로 인해 극심한 추위가 시작되었다. 운 좋게 액체 위로 떠서 위기에서 벗어났다고 하더라도 생존한 것이 아니었다. 그 역시도 그저 시간문제일 뿐이었다.

바다와 강, 호수 등에서 사는 생물들도 사정이 다르지 않았다. 지속적인 지진으로 인한 흔들림과 지구 속에서부터 빠져나오는 기체로 인해 생존 환경을 빼앗겼고, 게다가 괴물체로부터 유발되어 채워진 정체불명의 액체에는 지구에서 발견되지 않은 특이한 독성분이 포함되어 있어서, 물속에서 사는 생물들 역시도 그 영향을 고스란히 받았다.

아마도 소기의 목적을 달성한 것이 분명한 괴물체의 몸통은 달에 의해 일부가 파손된 채 지구 주변을 계속해서 맴돌았고, 그러더니 한순간에 진행 방향을 바꿔 태양을 등지는 방향으로 직진하기 시작했다.

그에 맞서 힘껏 싸워준 달은 그 괴물체를 더는 추적하지 않은 채 지구 주변을 서성였다. 그리고 그 내부에 무언가 문제가 생겼는지, 달은 지구로부터 조금씩 멀어지기 시작했다. 그 모습은 마치 소중하게 아끼던 물건이 바닥으로 떨어져 망가진 것을 망연자실하게 보는 한 사람과 같은 느낌을 주었다.

그렇게 아름다운 지구와 인류, 모든 생명체는 순식간에 그 형태와 의미를 잃어버리게 되었다.

하지만, 아직 '모든 생명체'라고 단정 짓기에는 이르다. 인류와 그 문명을 이어갈 소수의 인간이 생존해있기 때문이다.

그 일이 있기 전 평온했던 지구

얼마 전까지만 해도 부드러운 비단옷을 입고 있던 바람이, 이제는 빳빳하고 거친 전투복으로 갈아입은 12월 겨울의 어느 날.

평균적인 체형에 평균적인 키, 짙은 눈썹에 갸름한 얼굴형, 한껏 세워 올린 짧은 머리카락, 다소 얇아 보이는 반코트를 입은, 한눈에 봐도 강해 보이는 느낌을 주는 남자가 비틀대는 걸음으로 어느 골목을 걷고 있다. 그리고 그의 왼쪽 귀에는 귀 전체를 덮는 둥그스름하게 생긴 무언가가 걸려있었는데, 그것은 여러 가지 용도로 사용이 가능한 휴대용 정보통신 기기이다.

"응. 물론이지. 많이 안 마셨어. 목소리? 그냥 추워서, 입이 얼어서 그래. 그럼. 물론이지."

지금은 휴대전화 용도로 사용 중인 그것의 수화 스피커로는 젊은 여자의 목소리가 들려오고 있다.

남자는 마치 치과에서 치료를 받고 방금 나온 것처럼 분명하지 않은 발음으로 그 여자와 대화를 나누고 있지만, 그 말투는 그의 강해보이는 인상과는 다르게 부드러우면서도 나긋함으로 포장되어 있다.

　"내일? 내일 저녁까지 일하지 않아? 이…. 그래? 그럼 내일 7시에 거기서 볼까? 응. 그래. 잘 자고, 내일 봐."

　분명하지 않은 발음에도 바닥의 살얼음을 녹일듯한 다정한 그의 말투에 바람이 질투라도 했는지, 날카로운 가시를 세워 그의 얼굴로 돌진했다.

　"어휴, 오늘따라 바람이 매섭네. 어서 집에 들어가자."

　남자는 얼른 따뜻한 집 안으로 들어가고 싶다는 생각에 발걸음을 서둘렀다. 하지만 술에 취해있는 그의 몸은 자신의 의지에 순순히 따라주지는 않았다. 그렇게 그는 평소보다 훨씬 더 시간이 걸려 자신의 집에 도착할 수 있었다.

　연말연시를 핑계로 친구들과 모여 술을 마시고 자췻집으로 들어온 남자는, 옷도 갈아입지 않은 채 메고 있던 가방을 거실 한편에 벗어 던지고는 소파에 몸을 묻으며 습관적으로 텔레비전을 켰다.

　그가 방금 던진, 술에 취한 탓인지 제대로 잠그지도 않고 메고 다녔던 그 가방 안에서는 두껍다 못해 망치 대신 못질에 사용할 수 있을 것 같은 대학교 전공 서적 몇 권이 튀어나왔고, 그 책들의 표지에는 '박창우'라는 이름이 반듯하게 적혀 있다.

　창우는 무심코 켠 텔레비전이나 가방을 탈출한 전공 서적에는 관심도 없다는 듯 소파에 가로누운 채 눈을 감았다. 그렇게 잠에 빠져드나 싶을 때, 그의 귀로 텔레비전 스피커로 흘러나오는 뉴스 진행자의 목소리가 흐릿하게 들어왔다.

"크기가 3km 정도 되는 소행성 2개가 동시에 지구를 스쳐 지나 갔다는 소식이 조금 전 들어왔습니다. 하와이에 있는 천문연구시설에서 가장 먼저 발견된 이 소행성들은 그 원래의 궤도로 봤을 때 지구로 접근하지 않는다고 분석이 되었지만, 최근 그 궤도를 바꿔 지구에 매우 가깝게 근접하여 지나갔으며, 하나의 소행성을 다른 소행성이 바로 뒤따르는 모습의 이동 경로를 가진, 천문 관측이 시작된 이래 단 한 번도 확인되지 않은 이례적인 상황이었다고 전했습니다.

그와 동시에 수천 개의 소형 운석이 대기권을 통과하여 세계 곳곳을 향했으나, 다행히 현재까지 알려진 피해 소식은 없습니다. 지구에는 피해를 주지 않은 채 지나친 이 소행성들의 정확한 궤도는 현재 다시 분석 중이며, NE-34H12-1, 2로 명명된 이 소행성에 관해 각국의 천문연구 관계자들은…."

창우는 술에 만취해 있던 터라, 귀로 들어오고 있는 음성 정보의 대부분을 코로 내뿜고 있는 알코올 성분과 함께 공중으로 휘발시켰다. 하지만 그럼에도, 소행성들이 지구를 가까스로 지나쳤다는 내용은 그의 머릿속에 각인이 되었다.

그렇게, 어쩌면 행운이라고 생각될 수도, 아니면 불길한 징조라고 생각될 수도 있는 전 지구적인 이벤트 하나가 무사히 지나갔다.

다른 성격의 두 사람

길을 따라 피어있는 다양한 색의 꽃들과 파릇한 나뭇잎들이 칙칙한 도심의 분위기를 조금이나마 산뜻하게 꾸며주는 따뜻하고 포근한 어느 봄날, 비탈을 따라 건물들이 듬성듬성 들어서 있는 한 대학교 캠퍼스에는 한껏 들떠 보이는 걸음걸이와 표정의 학생들이 만들어 낸 활기 넘치는 분위기로 가득 차 있다.

하지만, 캠퍼스 내의 여러 건물 중 '공과대학'이라는 간판이 내걸려 있는 건물 안의 한 강의실에는 아직 봄이 찾아오지 않은 것처럼 조금은 한기가 깃들어 냉랭함이 감돌고 있다.

시큰둥한 표정과 딱딱하며 빠른 말투의 교단에 선 강사가, 온갖 어려운 기호들과 숫자를 강의실 앞 중앙의 벽면에 붙은 흰색의 보드에 끊임없이 적으며 수업을 이은 지 약 2시간, 보드 위에서 열심히 움직이고 있던 손동작과 입의 움직임을 멈추고는 그 강의실의 학생들을 게슴츠레한 눈빛으로 바라보며 말했다.

"다음 강의까지, 350페이지에서 370페이지의 문제를 모두 풀어서 제출하세요. 상세 풀이 과정과 의견이 서술되어 있어야 합니다."

본의 아니게 강의실 전체를 냉랭한 분위기로 만든 강사는, 그리고는 빠른 걸음으로 강의실을 빠져나갔다. 하지만 그가 그 공간을 빠져나갔다고 해서 바깥의 봄기운이 곧장 그 안으로 뛰쳐들어가지는 못했다. 아마도 강사가 예고 없이 내어준 과제 때문일 것이다.

그러나 잠깐의 정적이 흐른 후, 강사가 남기고 간 말은 곧 수조에 떨구어진 한 방울의 잉크처럼 빠르게 공기 중으로 희석되었고, 강의를 듣던 학생들은 그룹을 지어 옹기종기 모여 잡담을 주거니 받거니 하거나, 강의 내용 중 이해가 되지 않는 내용에 대해 서로 의견을 나누기 시작했다. 다음 강의 수강을 위해 가방과 책을 챙겨 서둘러 다른 곳으로 이동하는 학생들도 다수 있다.

그렇게 대학교 캠퍼스에서 흔히 볼 수 있는 모습들 사이에는, 항상 강의실의 복도 쪽 구석에 자리를 잡고 앉아 있는 한 남자가 있다.

얼굴에는 둥근 은색의 안경테와 매만지지 않은 것이 확실한 머리카락, 세수는 하는지 의심스러운 어두운 낯빛이 있고, 몸에는 짙은 색 운동복 바지와 그에 어울리지 않는 하늘색 셔츠가 걸쳐져 있다. '차도진'이라는 이름을 가진 이 남자는 자신이 속한 이 집단과 소속원에게는 전혀 관심이 없다는 듯 그저 가만히 학업에만 열중하는 학생이다.

도진은 이 학교에 입학하여 어느덧 3학년이 되었으나, 입학 당시부터 지금까지 그 누구와도 사적인 의사소통을 하지 않았다. '극도의 과묵함'이라는 어휘를 특정 인물에 빗대어 예로 들어야 한다면, 그는 그에 완벽하게 들어맞는 사람이라고 볼 수 있다.

수업이나 연구 및 실습 시간 외에는, 누군가의 대화 시도에 꼭해야 할 말과 답만 짤막하게 던지는 것이 전부이고, 그 때문에 같은 강의실에서 수학하는 무리는 그에게 다가가는 것을 꺼렸다. 그런 그를 무섭다거나 음침하다거나 하는 등의 몇 가지 이유로 피하거나 무시하는 것이다.

그러나 단 한 명, 같은 전공학과에 속해 있으며, 그와 동갑내기인 박창우는 차도진에게 다른 이들과는 차별화된 행동을 보였다.

창우는 일부러 도진에게 수시로 다가가 말을 걸었다. 과제를 했는지, 식사는 했는지, 오늘 저녁에 학교 근처 번화가의 식당에서 열리는 학과 모임에는 참석할 것이지 하는, 조금은 시시콜콜한 내용이긴 했지만.

창우와 가까운 지인들은 그런 그에게 충고를 아끼지 않았다.

"저 사람은 너하고 친해지고 싶지도 않은 것 같은데, 뭐하러 그렇게 챙기냐?"

"그만둬. 그도 네가 그러는 게 싫을 거야. 대충 봐도 아웃사이더의 정점에 있는 인물이네. 저런 성격은 누가 자신에게 친근하게 다가오는 것 자체를 부담스러워 해. 그냥 저렇게 놔두는 게 저 사람을 도와주는 거야."

18

그 누구와도 사적인 대화를 나누지 않는, 학과 외 활동은커녕 학교에서의 정해진 일정이 끝나면 도망치듯 군중에게서 벗어나는 사람에게 관심을 보인다는 것이 주변인들이 보기에 이상하기는 하다.

하지만 그런 말들에도 창우는 도진에게 먼저 다가갔다. 그의 그런 행동은 이성에게 느낄법한 감정에서 비롯된 것은 아니고, 아마도 어떤 인간적인 끌림 때문일 것이다. 그리고 쾌활하고 명랑하며 낙천적인 창우의 성격도 그에 한몫한다고 볼 수도 있을 것이다.

어쩌면 그 관심은, 도진이 교수와 강사들도 혀를 내두를 정도로 모든 수업에서 좋은 성적을 받는 것이 그 이유일지도 모른다. 하지만 그 이유만을 꼽기에는, 그가 그저 학업에 충실하다는 사실 외에 무언가 알 수 없는 남다른 기운이 있다. 그것은 천재나 영재라는 수식어를 붙이기에는 조금 모호한, 어떤 알 수 없는 독특한 느낌이다.

대다수는 그 느낌을 어둡고 음침하다고 해석을 하곤 했지만, 창우는 그와는 다르게 받아들인 것 같다. 그는 도진이 가지고 있는 재능과 그에 따른 매력을 순수하게 받아들였고, 그것을 본받고 싶다거나 우상처럼 여긴 것이 아닐까 싶다.

어쨌든 도진에 대한 창우의, 의도가 느껴지지 않는 배려와 친절은 주변의 만류에도 한동안 계속되었다. 하지만, 그렇다고 해서 도진이 창우로부터의 친절과 배려를 특별하게 받아들이지는 않았다. 그답게, 그저 조금은 귀찮다는 태도로 매번 무뚝뚝하고 짧은 응답만 보냈을 뿐이다.

그 후로 1년이 더 지나, 창우를 비롯한 그 동년배 학생들이 대학 졸업식 날을 맞았다.

아직 추위가 가시지 않은 겨울의 끝자락에, 이미 한 유명 기업 연구소의 입사 진형에 합격한 상대이던 창우는 모처럼 기분 좋게 가족, 그리고 친구들과 함께 학교 캠퍼스를 누비며 졸업을 기념하는 사진을 찍는 중이다.

그렇게 모두가 즐거워 보이는 시간이 흐르고 있을 때, 먼 거리에서 누군가가 창우를 향해 다가오고 있다. 청바지에 감색 패딩 점퍼를 입고 있고, 인조가죽 재질의 오래된 듯 보이는 신발을 신은 그 남자는 외투 주머니에 손을 넣은 채 한 방향으로 걷고 있다.

그의 시선은 무서울 정도로 정확하고 흔들림 없이 단 한 곳을 향해있고, 오래지 않아 그와 창우가 서로 몸이 맞닿을 정도까지 가까워졌다. 하지만 창우는 그 사실을 아직 인지하지 못했다.

그리고, 창우의 몸 뒤로 가까이 다가간 그는 머뭇거리듯 어색한 몸짓을 잠시 보이고는, 오른팔을 올려 자신의 손을 창우의 왼쪽 어깨에 가져다 댔다.

그러자 창우는 조금은 놀란 듯 그의 손이 닿은 어깨를 움찔거림과 동시에 몸을 뒤로 돌려 그 정체를 확인하였고, 이내 치켜 올라갔던 눈썹이 다시 원래의 자리로 내려왔다.

창우는 반가움과 놀라움을 반씩 섞은 표정을 지으며 도진을 바라보며 말했다.

"어? 차도진? 야, 너 한동안 잘 안 보이더니, 휴학한 줄 알았는데."

그러고는 갑자기 나타난 도진을 아래위로 두 번 훑으며 고개를 한 차례 살짝 갸우뚱한 후 말을 이었다.

"너 오늘 졸업하는 것 맞지?"

그 물음을 도진에게 던진 창우는, 그의 옷차림이 대학교 졸업식 당사자라고 하기에는 어울리지 않는다는 것과 졸업자 수상자 명단에 차도진이라는 이름이 포함되어 있지 않다는 사실을 이제 막 떠올렸다.

도진의 우수한 성적은 교내에 소문이 자자했기에, 학업 우수자 또는 졸업자 대표 자격으로 대강당의 무대에 오르고도 남았을 것이다. 또는 우수한 성적에 조기 졸업을 하여 그동안 모습을 보이지 않았던 것이라면, 오늘 이렇게 모습을 내비칠 이유가 마땅치 않기에 의아했다.

도진은 창우의 물음에 조용한 목소리로 답했다.

"나 휴학 중이야."

"아, 그렇구나? 어쩐지 요즘 안 보이더라. 어떻게 지내?"

"그냥…."

언제나 그랬듯 도진과의 대화는 길게 이어지지 않았다.

창우는 그와 조금 더 대화를 잇고 싶었지만, 분주한 졸업식 행사 중에 대화와 소통 능력이 부족한 상대에게 오랜 시간을 할애할 수는 없었다. 그래서 아쉬운 마음과 함께 냉정하게 이 대화를 끝내기로 마음먹었다.

"어쨌든 졸업식 날 너를 이렇게 보니 반갑네."

창우는 고개를 살짝 돌려 주변을 둘러본 후 다시 도진에게 말을 건넸다.

"가족과 친구들이 기다리고 있어서. 기회가 되면 다음에 또 보자. 난 운혜산업 제1연구센터에 취업했어. 조만간 저녁 식사나 같이하자. 너 전화번호가 뭐야?"

도진이 아무런 반응이 없자 창우가 다시 말을 이었다.

"너 내 전화번호 모르지? 내 전화번호가,"

그러나 도진은 외투 주머니에 넣어져 있던 왼손을 앞으로 내밀며 창우가 하고 있던 말을 가로챘다.

"위험이 닥친다는 것을 알게 되면 이것을 열어봐. 방법이 있으니까."

그리고 도진은 여러 번 접혀있는 쪽지를 창우의 손에 쥐여주었다. 그것을 받아든 창우가 펼쳐보려 하자 도진은 즉시 그 행동을 저지했다.

"아니. 지금은 안 보는 게 좋을 거야. 지금 이것을 열어본다면 그냥 쓰레기통에 들어갈 것이 뻔하니까. 하지만 그때가 되면 이것이 너를 구해 줄 거야."

"그게 무슨…."

창우는 호기심 잔뜩 어린, 그리고 왜인지 모를 의미심장한 표정으로 도진을 바라보았다. 그런 다양한 표정이 있는 창우에 비해 도진은 한가지 표정, 언제나 그랬듯 한결같이 웃음기나 찡그림조차 없는 무표정을 보이었다.

"음…. 무슨 말인지는 모르겠지만, 알겠어. 그나저나, 조만간 식사나 같이,"

 도진은 창우의 그 말에 응하지 않은 채 등을 돌려 그에게서 멀어지기 시작했다. 그의 그런 행동은 분명 무례하다는 평을 받아야 마땅할 정도였으나, 언제나 보이던 모습이었기에 창우는 별다른 불쾌한 기분 없이 그저 미간만 약간 찡그리며 그런 도진의 뒷모습을 가만히 바라보았다. 그리고 조금 전 그가 한 말이 도대체 무슨 의미일까 생각했고, 그러다가 다른 이의 부름에 정신을 차리고는 다시 졸업식이라는 행사의 참여에 집중했다.

 지금 이 대학 캠퍼스에 들어와 있는 다수가 행복한 표정을 짓고 있다. 누군가가 이를 질투하여 해코지하지 않을까 걱정이 될 정도로 이 공간의 분위기는 밝고 화사하다.

의심스러운 어떤 조짐

인류가 지금까지 이루어낸 과학 기술의 발전이 패러다임을 바꾸지 못한 채 그저 과도기에 머무르고 있을 무렵.

도심에서 조금 벗어난 지역의 도로변에 자리 잡은 20층짜리 대형 건물의 출입문 3개 중, 도로를 향해 나 있는 출입문 위에는 '운혜산업 제1연구센터'라고 쓰인, 멀리서 보더라도 쉽게 볼 수 있을 정도로 커다란 간판이 붙어 있다.

그리고 그곳의 오전 9시 20분, 이 건물에서 근무하는 수많은 직원이 수시로 오가는 8층 휴게실의 한구석 테이블에는, 그저 평범해 보이는 직원 5명이 모여 기호에 맞는 음료를 한 잔씩 들고서는 둘러앉아 대화를 나누고 있다.

"아침 출근 때마다 정문 앞에서 피켓 든 사람들이 지르는 소리를 듣는 탓인지, 괜히 온종일 예민해지는 것 같아."

"뭐, 어때요? 덕분에 잠도 깨고 좋지요."

"뭘 그런 걸 가지고 예민해져. 언제부터인지 난 신경도 안 쓰여. 그 사람들 오늘도 그러고 있었나?"

"첨단 기술 연구를 그만두라고 그렇게 시위를 해대면, 여기 직원들은 뭐 해서 벌어 먹고살라는 거야? 실직 후 대책이나 주고 저러던가. 그리고 기술 연구소가 여기 하나만 있는 것도 아닌데, 왜 하필 우리 회사 건물들 앞에서 저 난리들인지."

"이 회사가 국내에서는 제일 규모가 크니까 그렇죠. 여기서 저래야 언론이나 대중들이 관심이라도 가지지."

"그나저나, 갈수록 자연환경과 인간의 정신 오염을 빌미로 과학이니 기술이니 하는 것에 대한 부정적인 여론이 강해지고 있으니 걱정이 되긴 하네요. 모두가 좋자고 하는 일인데…. 의료 기술이 발달하고, 생활 편의와 정보 교류 수단이 풍부해지고, 이동수단이 편리해지면 모두가 다 좋은 것 아닌가요? 인간성을 잃고 있다는데, 도대체 인간성이라는 건 누가 정의를 내리는 것인지."

두꺼운 안경을 쓰고, 아마 며칠을 계속 입은 것이 분명해 보이는, 구겨진 자국과 옅은 얼룩이 곳곳에 있는 셔츠를 입은 남자가 방금의 말을 잽싸게 받았다.

"모두가 다 좋지만은 않죠. 저들의 주장도 틀린 것은 아니지. 우리야, 여기 취직해서 시키는 대로 일을 하는 것이긴 한데, 솔직히 말해서 영향력이 큰 몇몇 기업들이 뒤탈은 제대로 생각도 하지 않은 채 신규 상품이나 서비스랍시고 강제적인 필요성을 창출해내고,

마구잡이로 그 결과물을 대중에게 밀어내는 경우도 많으니. 게다가 멀쩡한 구형 상품들은 쓰레기로 취급되어 환경 오염에 일조하기나 하니까요.

따지고 보면 인류 전체적인 관점에서는 그다지 득이 될 것도 없는 여러 서비스와 정보에도 개인들은 반강제로 계속해서 노출되어 있으니, 정신은 정신 대로, 지출은 지출대로 그에 맞춰야 하고, 서로의 피로가 쌓여갈 뿐이죠. 첨단 기술이랍시고 내놓는 많은 것들이 정말 인류 사회에 편리하고 긍정적인 기능만 하는 것인지 의문입니다."

"부정적인 면만 너무 크게 보니 그렇죠. 발전하는 기술이 여러모로 인류 사회에 도움을 주고 있는 건 사실인데."

"거기에 따르는 부작용도 감안해야 하는데, 그저 무시하는 경우가 많으니 문제죠."

그 논쟁이 길어질 조짐이 보이자, 그의 바로 옆에 있던 한 남자가 우스꽝스러운 몸짓으로 주변을 두리번거리며 말했다.

"안 선임(연구원). 말조심해. 누가 들을라. 너무 올바르고 용감한 말은 위험해."

그리고 박창우라는 이름이 새겨진 사원증을 목에 걸고 있는 남자가 방금까지의 대화에는 아무런 관심이 없다는 듯 다른 곳을 잠시 바라보다가, 이제야 이 무리의 대화에 끼어들기 시작했다. 다만, 그가 끼어듦으로 인해 화제가 바뀌었다.

"그런데, 어제 갑자기 연구기획2부 김 책임(연구원) 님과 정 책임 님'이 무슨 국가 기관에 자문위원으로 출장을 갔다면서요? 정확히 어디로 무슨 이유로 간 거예요?"

그러자 이 무리 중 연구기획2부에 속해있는 직원이 그 말에 응했다.

"맞아. 하고 있던 일 다 제쳐두고 급하게 출장 계획이 잡힌 것 같더라. 어디로 갔는지, 무슨 이유인지는 아무도 몰라. 아마 고위 임원들은 알고 있겠지.

지난주까지만 해도, 지금 진행 중인 프로젝트를 일정대로 완료해야 한다며 위에서는 그렇게 닦달을 해댔었는데, 정작 주요 실무인력 두 명이 동시에 빠져버렸네. 게다가 실장님이 직접 출장 지시를 내린 거래. 이게 무슨 경우야."

다른 직원이 곧바로 그 말을 받았다.

"항공개발1부 김 수석 님하고 유태준 선임도 갔대. 그리고 다른 부서 핵심 직원 몇몇도 포함되었다더라."

"유태준 선임? 우리 연구소 실무 에이스잖아요."

"허어…. 연구소의 상위 인재들이 한꺼번에 어디론가 출장을 갔다? 흔치 않은 일인데…. 아니, 내가 입사 후 처음 있는 일이지. 게다가 실장님이 직접 지시를 했을 정도면 굉장한 일로 출장을 갔다는 건데…. 그게 뭘까요. 괜히 궁금해지네."

"특이한 경우이긴 해. 음…. 정부에서 추진하는 연구 과제에 참여하기 위함인가? 그런데, 단순히 그런 이유라고 하기에는 주요 인력들이 동시에 빠졌단 말이지. 에이, 모르겠어. 어쨌든 높은 분들이 하는 일에 관심 가지지 말자. 우린 그냥 오늘 하루도 무사히 보내어 월급을 쟁취하면 되는 거야."

"네, 그렇긴 하죠."

창우가 내놓은 의미심장하고 미스터리한 대화 주제는 의외로 간단하고 쉽게 마무리가 되었다. 지금 이곳에 모여서 떠드는 사람들은 연구소 내에서 가장 촉망받고 바쁜 실무자들이 동시에 갑작스럽게 출장을 떠났다는 사실 자체가 얼마나 큰일과 연관되어 있을지 짐작도 할 수 없다.

그로부터 7개월 후.

한창 진행되던 상품화 프로젝트의 마무리를 위해 이전 2개월 동안 눈코 뜰 새 없이 바빴던 창우는, 출근 후 오랜만에 8층의 휴게실을 찾았다.

절반 정도의 공간이 외부로 돌출되어, 천장이 없이 하늘과 곧장 이어지는 이곳의 현재는 비가 올 듯 말 듯 꽤 흐린 날씨이지만, 다행히 비는 아직 쏟아지지 않은 덕분에 무리 없이 이용할 수 있는 상태이다.

이 휴게실에는 언제나 그렇듯 군데군데 무리 지어 한 손에는 음료가 담긴 컵을 들고, 또는 곳곳에 놓인 테이블에 둘러앉아 대화를 나누는 사람들이 있다. 마치 어떤 매일의 출근 의식을 치르듯 혼자서 커피나 차 따위를 홀짝이며 멍하게 하늘을 바라보거나, 찌푸린 얼굴로 눈을 비벼대는 사람들도 어김없이 눈에 띈다.

혼자보다는 사람들 사이에 끼어있는 것이 성향에 맞는 창우는, 휴게실 안에 들어서자마자 잠시 고개를 좌우로 돌리며 두리번거리고는 자연스럽게 그중 한 무리를 향해 몸을 옮겼다. 그리고 마침 비어있던 의자 하나에 궁둥이를 붙이며 들고 있던 컵을 테이블에 놓았다.

그런 창우를 테이블에 둘러앉아 있던 구성원 4명이 동시에 바라 보았으나, 그중 한 사람만이 대표로 인사를 했다. 그의 목소리는 이른 아침에 어울리지 않게 기운이 없는 듯 나지막했다.

"창우 씨. 오랜만이네. 요즘 많이 바쁜가 봐?"

그리고 창우가 기다렸다는 듯 그 말을 받았다.

"네, 요 몇 달 동안 너무 바빴죠. 하핫."

애써 밝은 뉘앙스를 내뿜으며 답을 한 창우와는 다르게, 여기에 모인 사람들의 표정은 지금의 흐린 날씨와 동조하기로 작정을 한 듯 침울한 분위기를 자아내고 있다.

이전과는, 그리고 평소와는 다른 분위기를 감지한 창우는 그 이유는 모른 채, 자신이 이 분위기를 전환해보겠다는 의지를 한껏 담아 밝은 표정을 유지한 채 말을 이었다.

"나만 바빴던 게 아닌가 보네요. 다들 밤샘 업무라도 한 것처럼 축 처져 있네. 카페인 보충들 하시고 기운 내시죠."

그러자 그 바로 맞은편의, 곱슬머리에 키와 몸집이 크며, 빳빳하 게 다려진 셔츠와 바지를 입고 있는 신소재연구3부 조근석 선임연 구원이, 안 그래도 작은 눈을 더 게슴츠레하게 뜨며 창우의 말을 받았다.

"창우 씨는 요즘 계속해서 밤늦게까지 일했지?"

"네. 거의… 한 5개월 동안은 그랬던 것 같네요. 최근 2개월은 야근 수준을 넘어서 아예 회사에서 잠을 자면서까지 일했죠. 이 정도로 일을 시킬 거면, 차라리 회사 건물 안에 기숙사나 수면실이라 도 만들어주던가.

며칠 전에는 휴게실이고 뭐고 몸뚱이를 누울 수 있는 곳에는 야 근자들로 가득 차 있어서, 어쩔 수 없이 사무실 복도 구석에 담요 하나 깔고 잤다니까요. 그놈의 프로젝트 일정이 뭔지. 잘 먹고 잘 살자고 하는 짓인데, 몸만 축나네요."

"나도 지난주부터 새로운 프로젝트가 시작되었으니, 고생이 시 작…. 아, 아니군. 이젠 그럴 필요가 없을지도…. 어쨌든 창우 씨, 고생 많았어."

무언가 체념한 듯한 상대의 태도와 말투에 창우는 조금 놀란듯 한 목소리로 말을 받았다.

"이젠 그럴 필요가 없다고요? 조 선임님 혹시…. 이 회사를 그만 두는 건가요?"

창우는 조근석을 비롯한 주변의 다른 인물 두 명의 표정까지도 살핀 후, 그것을 확신하듯 목소리를 높여 재차 물었다.

"왜 갑자기. 어디 좋은 다른 회사에서 스카우트 제의라도 받은 거예요?

근석은 창우의 물음에 입을 몇 번 움찔거리더니 무겁게 입을 열 었다.

"아…. 그게 말이야."

어떤 말을 이으려던 근석은 고개를 쭉 빼 주변을 좌우로 살피고 는 벌떡 일어나 창우의 근처까지 몸을 옮긴 뒤, 곧장 창우의 바지 주머니를 더듬었다. 그러자 갑자기 몸수색을 당하기 시작한 창우는, 평소와는 다른 그의 이상한 행동에 당황하여 눈을 크게 뜨고는 그의 행동만 지켜보았다.

"어? 조 선임님, 어···. 지금···. 이게 무슨···."

오래지 않아 창우의 바지 주머니에서 스마트폰을 빼 든 근석은 그것의 전원을 껐다. 그러고는 곧장 다시 창우의 바지 주머니에 그것을 넣어주며 자신의 자리에 앉아 속삭이는 목소리로 말했다.

"퇴사하는 게 아니라···. 음···. 몇 달부터 실무인력들이 계속해서 어딘가로 출장을 가고 있잖아. 그건 알고 있지?"

"아, 물론 알죠. 안 그래도, 저희 부서에서도 몇 명이 뜬금없이 출장을 가서 제가 그 몫까지 하느라 힘들었으니까요."

"그 이유도 알고 있어?"

"이유야 뭐 당연히, 무료 봉사활동 목적이 아니라면, 어디에 회사의 돈벌이와 연계된 일이 벌어져 있으니 출장이든 파견이든 갔겠죠."

"그게 말이야···. 그 사람들이 어딘가로 끌려가듯 출장을 가고 있는 데는 단순하지 않은 이유가 있어."

"단순하지 않은 이유? 회사 일이 아니라, 뭔가 다른 특별한 이유가 있다는 건가요?"

"조만간 심각한 사태가 벌어질 것 같아."

"심각한 사태? 그게 무슨···."

창우는 이 대화 주제의 발단과는 상관없이 방금 단어 하나를 떠올렸는데, 그것은 전쟁이다. 세계 곳곳에는 소규모 전쟁이 발발해 이어지고 있는 상태인데, 혹시 확전이 된 것은 아닌가 하는 생각이다. 하지만 그것은 민간 산업기술 연구소 직원들이 갑작스럽게 출장을 가는 사실과는 어울리지 않아 정답은 아님이 분명하다.

창우의 표정과 눈을 가만히 바라보던 근석은 고개를 좌우로 살짝 흔들며 말했다.

"하긴, 언론과 온라인 정보까지 통제되고 있으니 짐작도 못 하는 게 당연하지."

창우는 상대가 도대체 무엇을 말하려는 것인지 갈피를 잡을 수가 없다는 듯 아무런 말도 없이 눈만 껌벅였다. 그리고 잠시 뜸을 들이던 근석이 말을 이었다.

"곧 있을 재난 사태에 대한 대책을 마련하려고 중앙정부에서 임시 비밀 조직을 만들었는데, 아니, 정확하게는 몇몇 강대국의 주도로 연합 조직이 만들어졌는데, 우리 회사뿐만 아니라 전 세계적으로 실력 있는 과학자와 공학자, 기술자들을 끌어모아서 뭔가를 하는 중인 것 같아."

창우는 조금 전까지의 밝았던 표정과 미소를 거두고는, 심각하게 말을 이어가고 있는 근석의 얼굴을 관찰하듯 빤히 바라보았다. 그리고 그다음 말을 기다리는 창우에게 근석은 한숨을 한 차례 내쉰 후 계속해서 말을 잇기 시작했다.

"하아…. 소행성인지 뭔지, 이상한 게 갑자기 나타나서 지구로 다가오고 있대. 아니, 다가오는 수준 따위가 아니라, 지구와 충돌할 가능성이 아주 높다는군."

그 말을 들은 창우는 이마에 주름이 두껍게 잡힐 정도로 눈썹을 치켜들며 물었다.

"소행성? 그게 지구와 부딪힌다고요? 작은 운석 같은, 뭐, 그런 게 아니라?"

해야 할 말을 마친 듯 입을 굳게 다물고는 조금은 짜증스럽다는 표정마저 보이는 근석과 그 주변 인물들의 표정을 번갈아 본 창우는, 지금까지 눈과 귀로 들어온 정보를 머릿속에서 정리하기 시작한 듯 눈동자를 이리저리 굴렸다. 잠시 그러고는, 갑자기 환한 미소를 지으며 그 특유의 발랄한 목소리로 말을 꺼냈다.

"에이, 뭐예요. 소행성 충돌이라니. 장난을 치려면 조금 더 기발한 거로 하셔야죠. 전 그런 장난에 속을 정도로 바보 아닙니다. 하하핫. 그 정도로 큰 사건이라면 이 건물 안 사람들이 이렇게 평화로울 리가 없잖아요. 너무 어설픕니다. 어설퍼요."

창우는 이 테이블에 둘러앉아 있는 사람들이 서로 짜고서는 자신에게 장난이라도 친다고 생각한 것 같았다. 그러자 옆에 앉아 있는 회로설계부 소속 이주연 선임연구원이 조용히 창우의 그 말을 받았다.

"그런 사실이 온 세상에 공개되면 질서고 뭐고 사회의 모든 기능이 멈춰버리고 감당 안 되는 상황이 벌어질 텐데, 그 정보를 쥐고 있는 사람들이 만백성들에게 정직하고 친절하게 알려줄 리가 없잖아요. 지금 이 얘긴 몇몇 사람들만 알고 있는 거야."

"에이, 뭐예요. 진짜 같잖아요. 장난은 그만 하세요."

창우는 여전히 미소를 잃지 않았다. 그 미소는 그러한 장난질에 놀아나지 않는다는 여유와 자존심의 표현이다. 하지만 그 미소에는 이유 모를 어색함이 조금은 묻어 있었다.

순간, 창우의 머릿속에서는 언제였는지 정확히 기억나지 않는, 아마도 술에 취한 상태에서 들었던 것이 분명한 텔레비전 뉴스의 어떤 내용이 떠올랐는지 자신도 모르게 고개를 잠시 끄덕였다. 그러고는 주머니에 들어있던 스마트폰을 꺼내어 전원을 다시 켜고는 손가락을 바쁘게 움직였다.

약 2분 후, 하지만 창우는 자신이 원하는 무언가를 하나도 건지지 못했는지, 고개를 갸우뚱하며 애꿎은 화면만 날카로운 눈빛으로 뚫어지게 바라보는 중이다.

소행성 또는 혜성과 지구, 그리고 충돌이라는 단어의 조합으로는 최근 1년 사이의 그 어떤 뉴스 기사도 찾아볼 수 없었다. 물론 소행성의 접근이라는 주제로 몇 가지 과학 칼럼을 발견하긴 했지만, 아주 먼 미래의 가능성을 점치는 내용이거나 그저 형식적이고 학술적 내용에 불과했다.

창우는 왼손에 들고 있던 스마트폰을 테이블 위로 던지듯 올렸다. 그러고는 근석을 바라보며 말했다. 창우의 표정은 출근길에 거리에서 마주친 낯선 떠돌이 개를 본 것 마냥 시큰둥하면서도 평온하다.

"그런데, 그 얘긴 누구에게 들었어요?"

근석은 창우가 방금 테이블 위에 올려놓은 스마트폰을 집어 들어 전원을 끄고는 원래의 자리로 되돌려놓았다. 그리고 괜한 뜸 들임 없이 곧장 창우의 물음에 답을 하기 시작했다.

"총무부에 있는 입사 동기. 그리고, 그 동기는 다른 회사 소속인 대학교 동창에게 그 얘길 들었나 봐. 이 얘긴 철저히 비밀이야."

창우는 그의 말을 의아하다는 표정으로 받았다.

"그게 사실이라면, 지금 언론에서도 기사 한 줄 안 내보내고 있는 고급 정보인데, 조 선임님의 입사 동기와 그의 친구가 알고, 여기 계신 분들이 알고, 제가 알고 있고, 심지어 이 휴게실에서 쉽게 접할 수 있을 정도면, 더는 비밀스러운 정보가 아닌 거네요."

틀린 말이 아니었기에 근석은 잠시 말문이 막혔지만, 주제에서 벗어난 창우의 의견은 무시하기로 작정한 듯 응했다.

"아니, 철저히 비밀 정보야. 공식적으로는, 아직 누구도 알아서는 안 되는 정보."

창우는 이 대목에서 모순점이 존재한다는 것에 대한 불편한 기색을 목소리에 실어 근석에게 물었다.

"음…. 그건 그렇다 치고, 어째서 그런 정보를 이렇게 쉽게 알려 주시는 거예요?"

근석은 눈을 질끈 감았다가 뜨고는 자신의 두 손바닥으로 얼굴을 몇 번 쓸었다. 그가 두툼한 손을 자신의 얼굴에서 떼어 내렸을 때, 그의 얼굴은 빨갛게 달아올라 있었다. 그것은 손바닥으로 얼굴을 비벼댔기 때문만은 아닌 것이 분명해 보였다.

"두렵지 않아? 이 지구가 곧 박살 날 수도 있다는 것 말이야. 그리고 이 위기를 나는 알고 있지만, 주변 사람들 대부분이 모르고 있다는 사실도 너무 소름 끼쳐. 그래서 우리끼리라도 이렇게 정보를 공유해서 위기에 대응하는 동지를 만들고, 서로 협력해서 뭔가 생존 방법을 찾아봐야겠다는 생각에…."

그러자 곧장 창우가 상대에게 다시 물었다.

"소행성의 진행 궤도에 정확히 지구가 포함되어 있다는 것이 전문가들의 계산으로 나타났다고 해도, 그 계산이 조금은 틀렸을 수도 있고, 어떤 요인에 의해서 지구를 그냥 지나칠 수도 있잖아요. 누가 지구를 목표로 어떤 돌덩이를 쏜 것도 아닐 텐데, 너무 예민하게 반응하시는 것 아닐까요?"

창우는 상대의 말에 나름 논리적으로 반박하며 다시금 예전의 평화로운 분위기를 되찾으려 해보았다. 하지만 당분간은 그럴 수 없으리라는 것을 자신도 느끼고는 있었다.

"나도 그렇게 생각해보려고 했는데, 지금 상황이 흘러가는 분위기가 뭔가 이상해. 게다가, 들은 얘기로는 일반적인 소행성 같은 것은 아니라고 하더군. 몇 년 전 해외의 한 대학교 천문 연구팀에서 우연히 어떤 이상한 무언가를 발견했었는데. 그것의 이동 경로가 너무도 특이해서 명확하게 정의를 내릴 수 없었다나 봐.

그 이후에 한 국가 연구기관에서도 그 데이터를 받아 추적 관측을 해왔는데, 소행성이나 혜성에 대해 일반적으로 알려진 기존의 상식을 뒤엎을 정도였다더군. 예상 크기가 너무 크고, 진로도 직선이나 원의 형태를 따르는 게 아니라 구불거리는 게 이상하다고…. 그러다가 수시로 멈춘 것처럼 보이기도 했다더군. 마치 자동차가 달리다가 제동하는 것처럼 말이야. 게다가 자체 발광을 한다는 얘기도 있었어. 너무 이상하잖아."

조근석은 호기로운 척 굴던 평소와는 다르게, 그리고 덩치에 어울리지 않게 조금은 떨리는 작은 목소리와 초조한 몸짓을 보였다.

지금의 이 분위기가 아니라면 우스꽝스러워 보였을 그런 그의 모습에 창우는 감정이 동화되어, 정보의 사실 여부를 떠나 자신도 모르게 고개를 끄덕이며 그 감정을 이해한다는 태도를 보였다. 그것은 더는 그의 말에 반박하지 않겠다는 표현이기도 했다.

근석은 목소리를 더 낮춰 말을 이었다.

"만약 누군가에게 이 사실을 알릴 거면 믿을만한 사람에게만 해야 할 거야. 이 사실을 처음 전한 입사 동기의 친구는, 털어놓은 그다음 날 연락이 끊기고 행방을 알 수가 없는 상태가 되었다는군."

창우가 반문했다. 이번에는 상대의 심중이나 분위기를 변화시킬 목적이 아닌, 자신의 궁금함을 해결하려는 목적이다.

"그 역시도 어떤 비밀스러운 조직에서 무언가를 하느라 어쩔 수 없이 연락이 끊긴 것이 아닐까요?"

"그건 아닌 게 확실해."

"아닌 게 확실하다는 근거가…."

근석은 길게 한숨을 내쉬며 몸을 살짝 떨었다.

"하아…. 그것에 대해 더는 설명하기 힘들어. 그것까지는 모르는 게 나을 거야. 아무튼, 국가적 기밀을 발설했다는 사실 때문에 어떤 조치와 징벌이 가해진 것은 맞아."

갑자기 창우가 있는 테이블이 완전히 조용해졌다. 그 누구도 더는 말을 잇지 않은 채 무거운 표정으로 각자가 가진 걱정과 두려움, 그리고 좌절감을 나타내고 있을 뿐이다. 다만, 창우는 아직도 평온한 표정을 하고 있다. 아마도 그가 가진 특유의 낙천적 성격이 부정적인 정보를 흡수하지 못하고 있는 것일지도 모른다.

가만히 생각에 잠긴 창우는 의문점이 꼬리를 물었다. 그래서 테이블을 둘러앉은 모두는 약 20분 동안 서로 자신들의 의견을 주고받았다.

그러자 조금 전까지는 평온했던 창우에게 조금은 두려운 감정이 깃들기 시작했는지, 그는 미간을 약간 찌푸리며 시선을 테이블을 향해 떨구었다. 그리고 그에게, 자신의 의지가 아닌 신체적인 이상 증상이 나타나기 시작했다.

자신도 모르게 다리를 떠는가 하면, 입안에 침이 계속해서 고였고, 갑자기 한기가 느껴진 탓에 두 팔을 자신의 가슴으로 모아 팔짱을 끼고는 몸을 움츠렸다. 그리고 순간순간 머릿속이 텅 빈 듯 멍해졌다. 아마도 통제하거나 감당할 수 없을 잠재적 위기에 대한 두려움이 이성적 사고 영역의 스위치를 잠시 꺼버린 탓일 것이다.

대화가 끊기고 2분 정도의 정적이 흐른 후, 신소재연구3부 박지현 연구원이 작은 목소리로 그 적막을 깼다.

"그것이 지구와 정면으로 충돌한다는 최악의 상황을 고려했을 때, 우린 뭘 할 수 있을까요? 아니, 우리뿐만 아니라 모든 지구인이 뭔가 할 수 있는 것이 있긴 할까요?"

그러자 계속해서 입을 다물고만 있던 전파연구1부 김소진 선임 연구원이 그 말을 받았다.

"그래서, 거기에 대한 어떤 대책을 마련하기 위해 전 국가가 머리를 싸매고 뭐라도 해보려고 하는 중이겠죠. 당장 이 회사에서 보고 듣는 상황으로만 봐도, 어느 조직에서 전 세계의 공학 천재와 수재들을 모조리 끌어모아서 뭔가를 하는 중이라는 것은 확실해 보이잖아요. 어떤 답이 나오길 기대해야죠."

그러자 근석이 그 말을 받았다.

"그런데, 그 대책이라는 것이 명확하지 않으면? 뭔가 방법이 나온다고 해도, 인류를 전부 구해낼 수 없다는 결론이 나온다면?"

그러자 창우가 오른쪽 다리를 빠르게 떨며 답했다.

"조 선임님, 너무 부정적으로 생각하지 않도록 하자고요. 혹시 세계 어딘가에는 그런 소행성을 막을 수 있는, 세상에 공개되지 않은 무기나 장치가 있을 수도 있잖아요. 그런데…. 만약 충돌한다면, 그 예상 날짜는요?"

"그것의 현재 위치와 이동에 대해서는 정확한 정보가 없어."

"아…."

다시 모두가 입을 다물었다.

그렇게 다시 약 3분 정도가 침묵으로 흐르고 있을 때, 한 남자가 창우의 곁으로 다가왔다. 창우의 바로 옆에 선 그 남자는 시선을 다른 곳으로 보내며 짜증이 섞인 목소리로 말했다.

"한가한 박창우 연구원, 부장이 당신 찾고 있어. 무슨 보고서가 어쩌고저쩌고하던데. 그런데 전화는 왜 꺼져 있어? 회사에서 전화를 꺼놓는 정신 나간 짓을 스스로 했을 리는 없고, 배터리가 방전된 건가?"

"아, 저…. 그게,"

"됐고. 얼른 가봐."

"아, 네. 알겠습니다."

창우는 테이블에 둘러앉은 사람들에게 눈짓으로 인사를 한 후 얼른 이 자리를 벗어났다. 그리고 그런 창우를 뒤따르려고 몸을 돌린 남자는 곁눈 짓으로 데이블을 둘러앉은 사람들을 힐끔 보고서는, 하던 몸짓을 잠시 멈추고는 말했다.

"여긴 분위기가 왜 이래? 어라? 조근석 선임. 자네가 어쩐 일로 이렇게 조용해? 뭐야, 다들 아침부터 축 처져서는."

그 말을 들은 넷은 피곤해서 그럴 뿐이라며 억지웃음을 지었다. 그러자 창우를 찾으러 이곳에 온 남자는 고개를 갸우뚱하며 더는 관심이 없다는 듯 빠른 걸음으로 이 자리를 벗어났다.

함정에 빠진 사람들

　지구를 향해 빠른 속도로 달려오고 있을, 어떤 정체불명의 천체로 야기될 사태를 창우가 알게 된 지 3개월이 지났다.

　조근석을 비롯하여 전국 각지의 몇몇 사람들로부터 조심스럽게 전해진 그 정보는, 이제는 전 세계에 퍼져 더는 비밀이나 감출 수 있는 소식이 아니게 되었다. 하지만 전 세계의 정부와 언론에서는 단순히 가짜 정보일 뿐이라고 일축했다. 다만, 지구를 향해 다가오는 어떤 천체의 존재 그 자체는 정부에서도 인정했고, 언론에서도 뉴스거리로 다루었다.

　그와 관련한 뉴스 기사라고 해봤자 내용은 뻔했다. 현재 쟁점이 되는 천체는 일반적인 소행성이며, 그 정체와 진행 궤도는 국내외의 연구기관과 학자들로부터 이미 오래전부터 파악이 되어있고, 지구와 충돌한다는 소문은 사실이 아니라는 것이다.

그런 해명의 행태는 현재의 질서와 치안 유지를 위해 국가 차원에서는 당연하다고 볼 수도 있다. 대다수는 모르고 있지만, 이때부터 모든 언론사와 개인 통신 관련 시설, 온라인 커뮤니티 플랫폼과 같은 정보 공유 인프라는 완전히 각국 정부 기관의 통제 아래에 들어갔다. 현대에 들어서 그런 행위는 국민에게 **충분히** 반발감을 일으킬 수도 있지만, 모든 역량을 동원하여 그 반발감조차도 애써 막고 있었기에, 일단은 사회가 평온한 상태로 유지되는 것처럼 보이고는 있다.

그에 대한 진실을 알고 있는 공인된 전문가들 역시도 정부와 언론에 보조를 맞추어 입을 다물거나 대중에 반대되는 의견을 냈다. 아마도 어디에선가 압력이 들어왔거나 어떤 협상이 이루어졌기 때문일 것이다.

세계 곳곳의 아마추어 천문연구자들도 진실 여부를 파악하고 그 근거를 찾아내려고 하였으나 소용이 없었다. 그들이 가지고 있는 관측 장비로는 한계가 있던 탓이다. 게다가 일정 수준의 이상의 모든 천문 관측이나 관련 장비는 어떤 비밀 조직에 의해 파악되고 통제되고 있기도 했다.

그 이상한 천체의 정체를 어설프게나마 파악하여 온라인 사회관계망을 통해 알린다 한들 날조와 허위 사실로 취급되어 탄압을 받았고, 그것이 반복될 경우 급기야 관측 장비와 개인 통신기기를 모두 국가에 압수당하고 법의 심판을 받는 일까지 벌어졌다. 또는 어떤 알 수 없는 단체의 방해 공작에 의해 진짜 정보가 가짜 정보로 재빠르게 둔갑하기도 했다.

그러던 어느 날, 일주일 후에 거대한 소행성이 지구와 충돌한다는 소문이 온라인을 비롯하여 사람들의 입에서 입으로 빠르게 전해졌다. 그리고 몇몇 소규모 언론사에서는 그것을 기사화하여 내보냈다. 그런데 이상하게도, 그 이전과는 다르게 정부 기관과 어떤 비밀 단체에서는 그것에 대해 어떤 제재도 가하지 않았다. 소행성에 대한 뉴스거리에 대응하던 지금까지와는 다른 행보를 보인 것이다.

그랬기에 대부분 사람은 그 소문을 기정사실로 받아들였다. 많은 국민이 공포감에 빠졌고, 수많은 사람이 커다란 가방에 식량과 옷가지 등을 챙겨 어떤 식으로든 갈 수 있는 가장 높은 곳으로 올랐다. 하필 높은 곳이 대피지로 선택된 이유는 누군가가 생존 방법이랍시고 온라인에 퍼트린 탓이다. 하지만 그 근거는 명확하지 않았다.

현재 공포감에 사로잡힌 사람들은, 무엇이든 의심하지 않고 믿었다. 그 때문에 전국의 산이란 산의 정상에는 사람들로 가득 찼다. 산에서 사는 동물들도 갑작스러운 상황에 이게 무슨 일인가 싶었을 것이다.

도심은 그야말로 아수라장이 되어 길거리 매장은 약탈과 방화로 엉망이 되었고, 여건이 되지 않아 어딘가로 대피하기를 포기한 사람들은 문을 잠근 채 폭도들을 피해 집 안에 몸을 숨겼다. 방송사와 관련 매체들은, 처음에는 평상시처럼 프로그램을 송출하였으나 점차 정규 방송의 송출을 중단하고 재난 관련 방송을 시작하였다.

그런데, 이 난리통에도 수상한 사람들이 있다. 전국 그리고 세계 곳곳의 도심에서 오토바이를 타고 다니며 고성능 캠코더를 손에 쥔 채, 그것으로 곳곳을 촬영하는 사람들이다. 며칠 후가 되면 소행성으로 인해 지구에 생명의 흔적이 사라질 수도 있는데, 고성능 캠코더로 영상을 촬영하고 있다는 것은 이상하지 않을 수 없다. 그들은 마치 어떤 목적을 가지고 조직된 팀처럼 일사불란하고 같은 방식으로 움직였다.

그렇게 일주일이 지났다. 소행성은커녕 하늘에서 빗방울 하나도 떨어지지 않는 상쾌한 날씨가 펼쳐졌다. 하지만 그럼에도, 사람들은 경계와 걱정을 풀지 않았고, 다시 3일이 더 지났다.

역시 아무 일도 일어나지 않았다. 방송의 송출을 완전히 멈춘 텔레비전과 라디오를 비롯한 방송 매체에서 기존의 정규 프로그램들이 아무렇지 않게 조금씩 재개되기 시작하자, 산을 비롯하여 나름의 방식으로 대피를 하였던 사람들이 자신들의 원래 보금자리로 되돌아오기 시작했고, 그렇게 며칠이 더 지난 후에는 재난 대피와 난동으로 인해 엉망이 된 시가지와 훼손된 자연만 곳곳에 남게 되었다.

각국의 정부와 수사기관에서는 곧장, 더는 가짜뉴스에 속지 말라며 이 사태를 이끈 주동자들과 폭도, 약탈자들에게 책임을 묻고 엄하게 벌하겠다는 단호한 발표를 하였다. 그러자 도심을 엉망진창으로 만든 범죄자들이 빠짐없이 수사기관에 연행되었다.

사실, 그 범죄자라는 것도 대다수는 평범한 시민들이다. 그저 평범했던 사람들이 공포로 얼룩진 분위기에 휩쓸려 강력범으로 변한 것이었다. 인간 스스로가 내면 깊숙한 곳에 숨겨놓았던 어떤 본성이 튀어나온 것에 불과했다.

폭도와 약탈을 한 범죄자들이 일망타진된 데에 크게 일조한 무언가가 있었다. 그것은 바로 촬영된 영상물이다. 얼마 전 도심에서 그러한 사태가 벌어지던 날, 고성능 캠코더를 들고 촬영하던 그들에 의해 수집된 영상들이 증거가 되어 모두 잡혀들어간 것이다.

역시, 캠코더로 거리 곳곳을 촬영하던 그들은 특정 목적을 가지고 움직인 어떤 단체의 조직원들인 것이 분명하다.

이제 대다수의 일반 국민은 뭐가 진실이고 거짓인지 알 수 없는 지경에 이르렀다. 그리고 허위 사실을 퍼트려 선동하며, 국가와 더 나아가 세계의 안녕을 해치려는 자는 법으로 강하게 다스린다고 엄포를 놓은 탓에 급격히 정보 공유 행위가 줄어들었다. 세계 각국과 관련 기관에서는 어떤 식으로든 소행성과 관련된 부정적인 소문을 내거나, 그것과 관련된 단체 행동을 하면 즉시 구속된다는 법률을 공포했고, 그런 행위를 발견하고 신고할 경우 최대 수십억 원에 달하는 포상금까지 내걸었다.

그렇게 지구적 위기 정보를 민간에 알리지 않으려는 각국 정부와 기관들의 노력 덕분에, 마치 끊어질 듯 말 듯 위태하게 붙어있는 줄 사다리처럼 일단은 그 이전처럼 질서가 유지되고는 있다.

하지만 일부 국가, 그리고 그 일부 지역에서는 소요 사태가 멈추지 않아 식량 사재기와 무법 상황이 연출되고 있으며, 종교적 집

회와 무언가에 기대려는 의식을 행하는 사람들로 인해 혼란스러운 상황이 벌어지고 있다. 그런 곳에서는 더는 공권력이라는 것이 의미가 없을 정도로 생존을 위한 각자의 의지와 힘에 의한 질서만이 유효하다.

다만, 세계 대부분 국가는 이전처럼 안정을 찾았고, 사회 시스템 역시도 문제없이 가동되고 있다.

생존클럽

　창우와 조근석을 비롯한 주변의 몇몇 지인들은 정부와 비밀 단체에서 행하는 그러한 함정에 속지 않았다. 그 이유 중 하나는, 그들이 속한 회사에서 연구와 신제품 개발 프로젝트의 수를 단기간에 급격히 줄였다는 사실이다. 계획되어 있던 신규 프로젝트의 무려 절반 이상이 취소되었고, 심지어 진행 중이던 프로젝트까지 일부가 중단되었다. 지난 20년 동안의 이 회사 행보로 봤을 때, 그야말로 회사의 존속에 문제가 생겼다고 해석이 가능한 상황이다.

　이 회사의 일부 고위 임원과 중역들이 어떤 전체와 지구의 충돌 사실을 인지하고 비상체제를 가동했다는 의미일지도 모른다. 또는 생존이 걸린 위기 앞에서 의미 없는 회사 업무를 제쳐두고, 고위급 지위를 가진 사람들끼리 생존을 모색하려는 준비과정이라고 볼 수도 있다.

일개 실무 직원들 몇몇이 알고 있는 진짜 정보를 고위급 인사들이 전혀 모르고 있을 리는 없다. 단지 그들이 무언가를 가지고 있다는 사실을, 그들이 쳐놓은 울타리 밖으로 내보내지 않고 있을 뿐이다.

창우를 비롯하여 곧 벌어질 사태를 정확히 알고 있는 일부 사람들은, 차라리 모르는 게 약이라는 속담처럼 시간이 지날수록 두려움과 초조함, 무기력에 빠져들고 있었다. 그리고 그 두려움은 생각과 마음을 서로 나눌 수 있는 사람들을 하나로 모이도록 만들었다.

그것은 어떤 생존 방법을 모색하기 위함이 아닌, 일단은 서로 의지하며 두려운 마음을 이겨내려는 것이 주요 목적이었다. 대책을 논해본다 한들, 특이할 것 없는 소수의 인간 개체가 모인 집단에서 우주 공간을 가르며 쏜살같이 달려오는 거대한 정체불명의 천체를, 게다가 언제 들이닥칠지 알 수도 없는 그것을 막거나 피하는 것은 불가능에 가깝다는 것을 모두는 알고 있다.

그러나 두려움이나 생존본능에 전전긍긍하는 것이 아닌, 이른바 멸망의 날이 올 때까지 편안하게 휴식을 취하며, 그리고 이제라도 즐기며 살기 위해 생업을 당장 그만둔 사람들도 있었다. 그들은 순수한 자연의 곁에 몸을 두겠다며 도시를 떠나 경치가 좋은 장소로 갔거나, 또는 모아둔 재산을 다 써버리겠다며 사치를 부렸다.

그 사람들이라고 두려운 마음이 없어서가 아니다. 두려운 마음과 허무함을 그러한 방법으로 잊고, 진정시키려는 것이다. 그렇게 막연한 두려움은 각자의 성격과 신념에 따라 각기 다른 방법으로 소진되는 중이다.

창우는 현재의 위기로 비롯된 감정과 걱정을 뭇사람들과 함께하
며 다스리는 편을 택했다.

최초로 그 정보를 공유해준 조근석을 비롯하여 괴물체와의 충돌
에 대한 진실을 의심 없이 명확하게 믿고 있으며, 협력적인 성향이
짙고 서로 대화가 잘 통하는 20명이 모였다. 그 20명 중에는 창우
의 연인인 정예은도 있는데, 그녀는 거주지 인근의 도로변에서 작
은 카페를 운영하는 자영업을 생업으로 삼고 있다.

창우는 현재 소속된 기업에 입사 후 며칠간의 여름 휴가를 맞아
간 해외 여행지에서 그녀를 만났고, 그것이 인연이 되어 그 인연을
2년째 변함없이 이어나가는 중이다.

예은은 창우와는 다르게 다소 소극적이고 말수가 적었으며 행동
이 크지 않아, 활기차며 적극적인 창우와는 서로의 결점을 보완해
주는 관계이다. 둘이 만나면 뜨거운 물과 차가운 물이 섞인 것처럼
서로가 혼자 있을 때와는 다른 분위기가 만들어졌다.

하지만 인간관계라는 것이 마냥 서로에게 좋은 감정만 심어주지
않듯, 반대되는 성격으로 인해 종종 옥신각신하는 때도 있었다. 그
러나 그 역시도 소극적이고 표현을 잘 하지 않는 예은과 적극적인
창우의 성격이 잘 버무려진 덕분에 그 순간이 오래가지는 않았다.
여러모로 천생연분이라 볼만하다.

곧 다가올 사태에 서로 심리적으로 의지하고 이겨내기 위한 모
임은 일주일에 두 번씩, 수요일과 일요일 저녁에 빛바랜 주택가의

한곳에서 이루어졌다.

처음에는 어떤 날짜나 계획을 정해놓고 모인 것이 아니었다. 회사 건물의 휴게실에서 시시때때로 모여 가볍게 걱정을 나누던 것이 퇴근 후 외부 카페로, 그리고 그들만의 아지트로 시간과 공간이 이동한 것이다. 그 후에 참여 인원 몇몇 추가되어, 어쩌면 거창해 보이기도 하는 공식적인 모임이 결성된 것이다.

그리고 굳이 아지트까지 마련하게 된 발단은, 그러한 모임을 국가가 강력하게 단속하고 포상금까지 건 상황에서 그것을 피하기 위함이기도 했다.

그들이 정해진 시간과 장소에 모여 가장 먼저 하는 일은 서로가 가진 새로운 정보들을 공유하는 것이다. 하지만 공유되는 그 정보라는 것도 대부분은 사실 확인이 정확하게 되지 않았던 탓에 신뢰도가 떨어졌고, 서로에게 큰 의미는 없었다. 그랬기에 이 모임은 오로지 지푸라기라도 잡고 마음을 안정시키려는 목적, 그것이 전부라고 볼 수도 있다.

어느 가을날의 오후 8시 47분. 창우와 그의 연인인 예은은 서로의 어깨를 맞댄 채 걸어, 도심을 조금 벗어난 지역에 있는 한 단독주택 앞에 섰다. 그러고는 익숙하게 현관문 비밀번호를 눌러 열린 문 안으로 들어갔다.

집안에는 3개의 방과 주방을 겸한 큰 거실이 있고, 거실에는 방석 20개가 보이지 않는 원탁을 둘러싼 것처럼 깔려있었다. 그리고 그중 5개의 방석 위를 이미 차지하고 있는 사람들이 이제 막 이곳에 들어온 창우와 예은을 동시에 바라보았다. 서로는 고개만 살짝 끄덕여 인사말을 대신했다.

9시 15분. 20명이 빠짐없이 모두 모였다. 이 모임의 공식적인 명칭은 없었지만, 몇몇은 '생존클럽'이라고 표현을 하고는 했다.

그렇게 모인, 집 안의 거실에 둘러앉은 20명의 사람은 잠시 침묵을 잇더니, 그중 한 사람이 거실 한구석에 있던 무언가를 집어 들어 만지작거렸다. 그러자 거실의 벽면에 있는 텔레비전이 켜졌다. 그러고 그는 마치 채널을 바꿀 필요가 없다는 듯 텔레비전 화면을 보지도 않은 채 손에 들고 있던 리모컨을 바닥에 내려놓았다.

텔레비전에서는 뉴스 프로그램이 한창 진행 중이다. 대부분은 일제히 시선을 텔레비전으로 주었다. 그렇지 않은 사람들은 스마트폰과 랩톱 PC를 다루며 심각한 표정으로 그것을 조작하기 시작했다.

집 안 공간에는 오직 텔레비전 스피커에서 흘러나오는 소리만이 메워졌다. 그리고 약 20분 후 누군가에 의해서 텔레비전의 전원이 꺼졌다.

"오늘도 여전하군요."

이상한 천체에 관한 뉴스 기사가 전혀 없었다는 의미다. 물론 그 말을 한 그는, 정부가 되었든 비밀 조직이 되었든, 그들의 계획에서 적절한 때가 올 때까지는 국민에게 진실을 공개하지 않으리라는 것을 잘 알고 있었지만, 그저 이 침묵을 깨려는 의도로 한 말이었다.

그러자 다른 누군가가 그 말을 이었다.

"언론계에는 양심 있는 자가 하나도 없단 말인가."

그러자 창우가 그 말을 받았다.

"양심 있는 자가 있다고 해도 뭘 어떻게 해볼 수가 없겠죠. 권위와 공신력이 있는 방송이라고 해도 관련 소식은 무조건 허위 사실로 취급되어 믿어주는 사람도 없거니와, 곧장 제재를 받아 수사기관에 잡혀가는 것은 물론이고, 자칫 목숨이 위태로워질 수도 있을텐데, 양심이 무슨 소용이 있겠어요."

"그렇긴 하지…. 아무튼, 새로운 소식 들고 오신 분들 없습니까?"

잠시 정적이 흐른 후 조근석이 오랜만에 말을 꺼냈다.

"어제 들은 얘긴데, 어떤 대책을 마련했다는 얘기가 GEA15에서 흘러나왔나 봐요."

곧 있을 그 사태에 대비하며 전 세계 국가가 연합하여 비밀리에 조직한 기관을 'GEA', 또는 '세계위기관리국'이라고 불렀는데, 숫자 '15'는 한국지부를 뜻하는 것이다. 그것은 여기에 모인 사람들이 만들어 붙인 명칭이 아니라, 그 조직의 소속원들이 실제로 칭하는 공식적인 명칭이다.

"그 대책이라는 것이 뭔가요?"

"정확하지는 않아요. 특수 제작되는 방공호일 거라고 하는데, 우리나라에선 5000명 정도를 모집해서 대피시킬 거라고…."

그걸 들은 김인찬이 물었다.

"겨우 5000명? 확실한 건가? 방공호라는 것의 위치는? 그리고 그 선발 조건은?"

"위치는 확실하지 않습니다. 현재 건설 중이라고 하는데, 일반적인 건물의 공사현장인 것처럼 꾸며서 작업을 한다는 말이 있어요. 그리고 정확한 정보는 없지만 아마도, 그 방공호로 대피하는 사람을 선발한다고 하면 생존에 필요한 기술을 가진 인물이나, 그 후에 만약 무사히 살아남는다면 후세에 우수한 유전체를 계속 이어줄 인물을 뽑겠지요."

그러자 누군가가 조금은 격앙된 목소리로 그 말을 받았다.

"허헛. 순진한 말씀을 하시는구려. 기술? 유전체? 극소수를 제외하고는 그냥 돈과 권력 순으로 줄 서서 들어가겠지요. 평화로운 상황에서도 돈과 권력을 중심으로 굴러가는 사회인데, 그것을 가진 세력들이 주도하는 생존대책에 그런 아름다운 조건이 내걸릴 리가 없지 않소."

그 말에, 그의 맞은편에 있는, 선선한 날씨임에도 두꺼운 패딩 점퍼를 입고 있는 남자가 시큰둥한 목소리로 말했다.

"동준 아저씨 말처럼, 돈과 권력을 가진 이들이 먼저 어떻게든 그 자리를 차지하겠죠. 최소한 실제 그 일이 벌어지기 직전까지는 이 사회가 정상적으로 유지될 테니, 돈이니 권력이니 하는 것도 그때까지는 통하긴 할 테니까요.

그런데, 그렇게만 채워서는 예상치 못한 변수에 대응하기 어려울 겁니다. 당장 사태에 도움에 될만한 산업 분야에 경력이 있고 노련한 기술자나 과학자들, 그리고 의학 전문가들은 포함될 겁니다."

아무런 의미도 없는 주장을 내세우는 그들의 말에, 김인찬과 조근석은 으레 있는 일인 것처럼 표정 하나 변하지 않은 채 그들의 의견을 무시하고는 말을 이었다.

"흐음…. 우리 중에 누군가가 선정될 수도 있는 건가?"

지금 이 정보에 관심을 표현하고 있는 김인찬이라는 인물은 50대의 남자로, 조근석의 부인이 권해 이 모임에 참석하게 된 전직 사업가이다. 사업가답게 여러 인맥을 활용하는 재주와 금전이 넉넉해, 여러모로 물건이나 돈이 필요한 일에는 꽤 두각을 나타내고 있다.

그의 질문에 누군가가 그저 시시한 코미디 방송 프로그램을 보다가 혼잣말을 하는 것처럼 말했다.

"우리 중에는 없을 것 같은데요. 다들 스스로 잘 아실 것 같은데."

그가 말을 마치자 일부는 고개를 깊게 떨구었고, 초조한 듯 허벅지를 계속해서 까딱거리는 등의 행동을 보이는 사람도 있다.

"현실을 정확하게 직시하자는 의미로 하는 말이니 기분 상하지는 않았으면 합니다."

그때 창우가 조금은 높아진 음성과 어조로 모두를 둘러보며 말했다.

"우리가 이렇게 정기적으로 마주하고 있는 건, 어찌 되었든 서로가 조금이나마 도움을 주고받고 의지하려고 모여있는 것 아니겠습니까. 현실을 직시하자는 취지라고 하더라도 우리 되도록 부정적인 말은 하지 않도록 합시다. 그리고 명확한 사실만 공유하도록 하죠. '그렇다더라.'식의 정보 공유는 지금 정부와 기관이 진실을 통제하는 것과 크게 다를 바 없지 않겠습니까. 어쩌면 조금 전 조근석 선임께서 알려준 것도 누군가가 의도적으로 퍼트린 역정보일 가능성이 있고요. 제 의견에 동의하지 않는 분 계신가요?"

아무도 창우의 말에 반박하지 않았다.

"그렇다면 앞으로는 그렇게 하죠, 우리."

그 말이 끝나고 약 10초 후 예은이 작은 목소리로 말을 꺼냈다. 예은이 먼저 말을 시작하는 경우는 드물었기에 모두는 일제히 예은을 바라보았다.

"여태까지의 상황을 보면, 서로가 주고받는 내용은 그 진위가 명확지 않아서, 창우 오빠 말처럼 오히려 불안감만 가중될 뿐인 것 같아요. 그렇다고 손 놓고 아무것도 하지 않은 채로 시간이 흘러봤자 그것 역시도 두려움을 키우는 결과를 가져오겠죠. 모든 것을 내려놓고 그날이 되길 기다릴 것이 아니라면 차라리 주사위를 던져보는 건 어떨까요?"

예은의 말에 김인찬이 눈을 동그랗게 뜨며 물었다.

"주사위? 그건 무슨 말이지?"

"어떤 결과가 나올지 알 수 없고 근거도 없을지언정, 긍정적인 결과가 나올 것이라는 기대를 하고 뭐라도 행동으로 옮겨 보자는 거예요. 복권을 사서 1등 당첨금을 받을 것이라는 기분 좋은 상상을 하듯이요.

일단, 현재까지 우리가 가지고 있는 정보 중에서 사실일 확률이 높은 것들만 추려서 그것을 참고로 대책을 세우는 거예요. 어느 위치의 땅을 깊게 파서 그 속에서 지낸다거나, 여차하면 바로 사용하여 대피할 수 있는 이동수단을 준비해 놓는다거나, 하는 것들이죠."

그러자 곳곳에서 한숨 소리와 긴 호흡의 콧소리가 잠시 들려왔고, 또다시 정적이 시작되었다. 지금의 정적은, 예은의 아이디어가 너무 막연하다는 의미도 포함되어 있다.

그렇게 그 누구도 예은의 말에 응하지 않자, 옆에 앉아 있던 창우가 거들었다.

"일리가 있는 말이긴 합니다. 뭐든 행동으로 옮겨 봅시다. 하다 못해, 고급 정보가 알아서 걸어들어오도록 소극적으로 기다리기보다는 직접 그 중심으로 몸을 던져 캐낸다거나 하는 것도 방법일 수 있겠네요. 성과가 있든 없든 이렇게 아무것도 하지 않는 것보다 0.1%의 생존 확률이라도 기대하며 몸과 두뇌를 적극적으로 움직이는 편이 훨씬 나을 것 같습니다."

창우가 말을 마치자, 단지 예은의 의견을 반복했을 뿐이었음에도 조금 전과는 다르게 일부가 고개를 끄덕이며 무언의 동조를 했다. 그리고 팔짱을 끼고 있던 김인찬이 쓰고 있던 큰 안경을 고쳐 쓰며 입을 열었다.

"그래. 그편이 좋겠어. 뭐라도 해보자고. 되면 되는 거고, 안 되면 안 되는 거고. 이렇게 모여서 서로 대화를 나누는 것도 좋지만, 우리만의 수단을 취해서 실천하면 더 좋지 않겠어?"

창우가 그 말을 다시 받았다.

"저와 인찬 아저씨 의견에 동의하지 않는 분 계신가요?"

5초 동안 그 누구도 입을 열지 않았다.

"그렇다면 각자 분야와 임무를 정해서 움직이죠. 음…. 그렇다면…."

창우가 잠시 뜸을 들이고 있을 때, 청색 재킷을 입고 있던 남자가 끼어들었다.

"이렇게 하는 게 어떨까요. 정보를 수집하는 조와 대피소를 만드는 조, 생필품과 음식을 준비하는 조, 교통수단이나 탈것들을 준비하는 조.

괴물체가 지구에 가장 근접했을 때는 아마도, 어떤 방식으로든 충돌 예상 지점과 시간이 알려질 겁니다. 그 순간이 되면 정부와 GEA에서도 그것을 애써 부정하지는 않을 테고요.

만약 실컷 만들어놓은 대피소가 전혀 소용없을 만한 위치에 충돌이 예상된다면, 빠르게 반대편으로 피할 수 있는 이동수단을 써서 살아남을 확률을 조금이라도 높여보는 거죠. 그리고 운 좋게 살아남는다면…. 그 이후에 건강을 유지하고 살아남을 수 있도록 음식과 생필품들이 많이 필요하겠죠."

오랜만에 희망적이고 긍정적인 내용이 귀로 들어온 덕분인지 활기가 감돌기 시작했다. 그리고 한 명씩 손을 들며 그 말을 거들었다.

"제가 정보 수집 조에 지원하겠습니다."

"저도요."

"저는 생필품과 음식 부분을 담당할게요."

"나는 지면과 하늘, 물에서도 움직일 수 있는 탈것을 마련하도록 하지. 이럴 때 쓰라고 그렇게 악착같이 돈을 벌었나 싶어."

그리고 잠시 후, 창우가 중재하지 않았는데도 순식간에 역할에 따른 행동 조가 꾸려졌다. 이 모임에는 공식적으로 결정권을 가지거나 회장의 역할을 하는 사람은 없다. 하지만 외향적인 성격에 남들 앞에 나서기 좋아하고, 대인관계에 거리낌이 없는 성격의 창우가 그 역할을 자연스럽게 맡게 되었다.

창우는 지금까지 나온 각자의 의견을 정리하기 시작했다.

"모두 결정이 되었네요. 일단 지금 정해진 대로 움직여주시고, 그럼 저는 이동수단을 마련하는 조에 참여하겠습니다. 제 전공을 살려봐야죠. 그럼 이 결정대로 하는 것에 동의한다는 의미로 모두 손뼉을 칠까요?"

그러자 조금은 억지스러운 느낌의 작은 박수 소리가 잠시 이어졌다.

그렇게 곧 있을 거대한 위기로부터 생존을 위한 가장 단순하며 기초적이면서도, 구체적인 실천이 시작되려고 하였다.

"그런데, 우리끼리 하기에는 시간이 오래 걸릴 수도 있겠는데. 사람을 더 모집하는 건 어떨까?"

김인찬이 모두를 보며 말했다. 그리고 그 말을 다른 이가 받았다.

"이렇게 정보 교환을 하는 모임이 있다는 것을 다른 이들이 알게 되면, 위험해져요. 시간이 더 걸리고 돈이 더 들고 몸을 더 써야 하더라도, 지금 이 인원으로 하는 게 안전합니다. 의도한 바는 아니지만, 우리끼리는 믿을 수 있다는 것이 지금까지 함께 해온 기간으로 증명이 되어 있잖아요. 이 시점에서 괜히 어설프게 사람을 잘못 들였다가 서로 간의 신뢰에 문제가 생기는 일이 벌어지면 곤란합니다. 어쩌면 그 자체가 쓸데없는 에너지 소비가 될 수도 있어요.”

그 말을 들은 김인찬은 가만히 고개만 끄덕였다. 그러자 탈것을 준비하는 임무를 맡은 조근석이 김인찬에게 말을 걸었다.

“인찬 아저씨, 혹시 ‘에어카’ 부품 공장이나 기술자나 뭐, 그쪽으로 아는 분 있어요? 지금 시중에 판매 중인 ‘에어카’로는 어림도 없을 것 같고, 많이 개조해야 할 것 같은데….”

에어카라는 것은 지면에서 약 30cm 정도 공중으로 떠서 움직이는 자동차다. 국가마다 에어카의 점유율에는 차이가 있지만, 대부분 네 바퀴로 지면을 달리는 기존 자동차와 혼용되고 있기에 공중에 약간 떠서 다니는 자동차는 에어카라는 별칭으로 불렸다. 에어카의 특성상 육지뿐만 아니라 해상이나 길이 아닌 곳으로도 수월히 주행할 수 있어, 어느 곳이든 전천후로 사용할 수 있지만, 법률상 일반적인 도로로만 주행할 수 있게 되어있다.

“에어카? 물론 있지. 부산에서 사업하는 아는 형님이 있는데, 그 형님이 몇 군데 전화를 돌리면 부품이나 기술적 조언을 구하는 데는 문제가 없을 거야. 잠깐 있어 봐, 예전에 받아 놓은 명함이 어디 있을 텐데…. 어디 보자…. 그 형님 연락처가….”

김인찬은 양손을 바삐 바지 주머니에 집어넣고는 불룩한 지갑 하나를 꺼내어 들었다. 그리고 그것을 펼쳐 손가락으로 그 안 여기저기를 헤집더니 곧 작은 명함 하나를 골라내어 손에 쥐었다. 그리고 그것을 조근석에게 내밀었다.

“그렇지. 여기 전화번호하고 주소가 적혀 있네. 이쪽으로 찾아가거나 연락해서, 내 이름 대고 부탁할 것 있으면 부탁해. 그리고 돈이 필요하면 나에게 말해. 부품을 구하고 개조하는데 드는 비용은 내가 전부 댈 테니까."

조근석은 결연한 표정으로 입술에 힘을 주어 입을 굳게 닫고는, 고개를 끄덕이며 그 명함을 손으로 받았다.

그때, 김인찬이 건넨 명함을, 조근석이 받는 장면을 가만히 지켜보고 있던 창우의 머릿속에서 무언가가 빠르게 스쳐 지나갔다. 그것은 학사 과정을 마치고 학교를 졸업하던 날, 차도진이 뜬금없이 나타나 자신에게 건네주었던 어떤 메모지와 그가 한 말이다.

'차도진! 그때 도진이 나에게 준 메모지. 위기…. 이런, 멍청한. 내가 그걸 잊고 있었다니.'

창우는 오른손으로 자신의 이마를 짚고는 당시의 그 장면을 떠올리기 위해 애를 썼다. 이 공간에 창우와 함께 있는 다른 사람들은 그런 그의 모습에 큰 관심을 주지 않으나, 창우의 연인인 예은은 갑작스러운 그의 행동을 주시하고 있다.

한동안 창우는 아무런 말도 하지 않았고, 누군가가 이제 그만 각자의 집으로 가자는 제안이 있고 나서야 그는 자신의 오른손을 이마에서 떼어내고 고개를 들어 눈을 껌벅거렸다.

모두는 아지트로 삼은 그 허름한 단독주택에서 1분 간격으로 한 명, 두 명씩 조용히 나왔다. 그것은, 수상한 사람들이 한 장소에 주기적으로 모인다는 신고가 들어가지 않도록 하려는 조치이다. 가장 마지막으로 창우와 예은이 문단속을 한 후 나란히 그 집을 빠져나왔다.

창우와 예은은 오렌지색 가로등 빛이 희미하게 비추는 골목길을 걷기 시작했다. 창우는 차도진에 대한 생각이 떠오른 그 순간부터 아무런 말도 하지 않은 채 초점 없는 눈으로 정면만 보고 있다.

그러자 예은이 걱정스러운 표정과 함께 창우에게 말을 걸었다.

"창우 오빠, 무슨 일 있어? 아까부터 한마디도 하지 않고…. 정신 놓은 사람처럼 표정도 이상해."

그러자 창우는 여전히 초점이 나간 눈을 하고서는 예은을 힐끔 바라본 후 다시 정면을 응시하며 말했다.

"응? 아…. 그게….."

창우는 예은의 물음에 답을 하다 말고 말을 멈추었고, 발걸음 역시도 잠시 멈추고는 길의 가장자리로 가 섰다. 그런 그의 몸을 따라 예은도 그의 왼편에 섰다. 그리고 창우는 하려던 말을 잇기 시작했다.

"나 대학교 다닐 때, 차도진이라는 같은 과 동기생이 있었거든. 아, 얘기가 좀 길어질 것 같은데 괜찮니?"

예은은 어두운 골목길의 양쪽을 두리번거리고는 그 물음에 답했다.

"응. 밤이 깊어서 좀 무섭긴 한데, 괜찮아. 얘기해 줘."

"그래. 그 친구는 성격이 좀, 뭐랄까…. 자신만의 세계에만 빠져 사는 사람처럼 학업에 몰두하는 것 외에 다른 사람과는 연을 맺지 않는 녀석이었어. 그래서 같은 과의 사람들이 대부분 걔를 싫어했지."

"오빠도 그랬어?"

그 질문에 창우는 잠시 뜸을 들였다.

"아니. 뭐, 나에게 나쁜 영향을 주는 것도 아닌데 굳이 싫어할 이유는 없잖아. 어쨌든, 남에게 피해를 주거나 하지는 않았으니까."

"역시, 오빠 답네. 그래서? 그 사람과 무슨 일이 있었어?"

"도진은 학교 전체에서 성적 순위로 1등이었어. 말 그대로 천재나 수재쯤으로 불릴 만했지. 나는 음…. 뭐랄까, 그 녀석에게 호기심도 생기고 해서 친해지려고 먼저 다가갔거든."

"그래서 친해졌어?"

"아니. 일반적인 의미의 친분이라는 것은 전혀 생기지 않았어. 그 녀석은 항상 자신의 주변에 벽을 쌓아두고 있었는데, 도무지 허물 수가 없는 벽이었어. 그래도 나는 계속해서 먼저 다가갔지. 주변에서는 그런 나의 행동에 이상한 오해까지 했을 정도로 말이야.

어쨌든 그 덕분에, 아마도 내가 그 벽에 작은 구멍 하나는 뚫었던 것 같아. 차도진이 학교 졸업식 날 나를 일부러 찾아 왔더라."

창우는 다시 말을 멈추고는 다시 깊은 생각에 잠긴 표정을 지었다. 그러자 예은은 그의 다음 말을 가만히 기다렸다. 그리고 약 10초쯤 지나 창우가 다시 입을 열었다.

"위기 상황이라고 했던가, 곤란한 상황이라고 했던가, 아무튼 그런 상황이 오면 펼쳐보라는 말을 하며 나에게 메모지 하나를 건넸었는데, 그걸 어디에다 뒀는지 도무지 기억이 나지 않아."

"그 내용이 뭐였는데?"

"보질 못했어. 왜 그랬는지는 모르겠지만, 그 자리에서는 펼쳐보지 못하게 막더라."

창우의 말을 여기까지 들은 예은은 기대했던 내용과는 다르다는 의미로, 조금은 시큰둥한 표정을 지으며 창우에게 향하고 있던 눈길을 다른 곳으로 돌리며 말했다.

"그 메모지의 행방에 대해서 그렇게 심각하게 고민을 해야 할 정도는 아닌 것 같은데."

그러자 창우는 그 메모지에 아주 중요한 내용이 있다는 것을 알고 있기라도 하는 것처럼, 심각한 낯빛을 전혀 바꾸지 않은 채로 예은의 말을 받았다.

"그 메모지를 나에게 건넨 도진이 한 말이…. 그게 나를 구해 줄 거라고 했어. 그 말 한마디는 생생하게 기억이 나."

예은은 다시 호기심 어린 눈빛으로 창우를 바라보았다.

"교내의 다른 사람들과는 교제를 전혀 하지 않던 녀석이, 내가 학교를 떠나는 날 일부러 나를 찾아와서 뭔가를 알려주려 했다는 것은, 분명히 어떤 중요한 내용이 거기에 적혀 있을 거야. 그래서…. 그 메모지의 행방을 계속 기억해내려고 하는 거야. 뭔가, 곧 닥칠 사태와 관련이 있을 것 같다는 느낌이 들거든."

예은은 조금은 비웃는 어투로 말한 조금 전과는 다르게 신중하고 나지막한 목소리로 창우에게 말했다.

"차근차근히 생각해봐. 시간 순서대로. 그 메모지를 받은 직후 어떻게 했어? 친해지고 싶었던 사람이 준 것이라면 버리지는 않았을 테고, 아마 주머니나 가방 속에 넣었을 것 같은데."

"맞아. 버리지는 않았어. 아마도 주머니 속에 넣어뒀을 거야."

"그럼 집에 가서 졸업식 때 입었던 옷들 주머니와 가방을 다 뒤져보면 되겠다."

"그게…. 그때 입었던 옷은 얼마 전까지도 수시로 입었었거든. 가방 역시도 그랬고. 그런데 그 메모지는 나의 손에 걸렸던 적이 없었어. 게다가…. 세탁도 여러 번 했지. 세탁하기 전에 주머니를 확인해보곤 하는데, 분명히 그 옷들에는 아무것도 없었어."

"그렇다면, 혹시 어딘가 보관해 둔 것은 아닐까."

"나도 그렇게 생각하고, 그때의 기억을 떠올리려고 애쓰던 중이었어. 도대체 내가 어디에 뒀을까…."

"3년 전의 일인데…. 단순히 접힌 종이였다면, 어쩌면 쓰레기로 착각하고 언젠가 버렸을 수도…."

"흐음…. 그랬을 수도…."

"그 사람, 연락처는 몰라? 하다못해 주소나 직장 정보라도…."

"전혀 몰라. 아마 학교 행정실에는 예전의 신상정보가 남아 있겠지만, 개인정보를 그런 경로로 입수할 수는 없잖아. 게다가 지금은 전화번호나 사는 곳이 바뀌었을 수도 있고."

"그렇겠지…. 음…."

그 후로 약 1분 동안 정적이 흘렀다. 그리고 순간, 가까운 어딘가에서 '스윽, 착' 하는 알 수 없는 소리가 들렸다. 창우는 그 소리를 듣지 못했는지 시선을 바닥으로 떨군 채 몸의 움직임이 없었고, 예은은 그 소리를 정확하게 들었다.

눈을 크게 뜨고 주변을 두리번거린 예은은, 도진이 건넨 메모지의 행방을 기억해내기 위해 의미 없는 시간을 보내고 있던 창우의 팔을 이끌고 이 어둡고 으슥한 골목에서 벗어났다.

차로 예은을 집까지 데려다준 창우는 자신의 집에 도착하자마자 옷장을 활짝 열었다. 그리고 그곳의 옷을 모두 꺼내서 바닥이 내팽개치고는 그 옷들을 하나씩 집어 들어 샅샅이 뒤적거리기 시작했다. 주머니, 단추, 하다못해 접힌 옷깃 부분까지도. 하지만 창우가 가지고 있는 옷에서는 그 어떤 종잇조각도 나타나지 않았다.

'정말로 내가 어디다 버렸나? 하아…. 이런 바보 같은…. 도진이 준 것이니 일부러 버리지는 않았을 테고, 실수로 어디선가 분실한 것 같은데."

창우는 마치 장대 높이 뛰기를 하는 것처럼 침대 위에 벌러덩 몸을 던져 누웠다.

'도대체 그 메모지엔 뭐가 적혀 있었을까. 군중 사이에 끼어들기 싫어하는 도진이 굳이 졸업식 날 나를 찾아 왔다는 것은 분명 어떤 중요한 내용일 거야. 그 녀석이라면 지금 다가오고 있는 이상한 천체의 정보를 미리 알고 어떤 정보를 나에게 주려고 했을 거야. 뭘까…. 거기에 도대체 뭐가 적혀 있었을까….'

창우는 왜인지, 도진이 이상한 천체에 대한 정보를 가지고 있을 것이라고 믿었다.

그렇게 외출복을 벗지도, 몸을 씻지도 않고 침대 위에서 그 고민에 빠져있던 창우는 이내 잠이 들었고, 시간은 밤을 지나 새벽으로 흐르는 중이다.

메모지에 숨겨진 비밀

커튼을 닫지 않은 창문에서 밝은 빛이 강하게 방 안으로 돌진하고 있다. 그 탓에, 도진이 건네준 메모지로 유발된 고민으로 인해 평소에 하던 집안 내의 일을 하나도 처리하지 못하고 잠이든 창우는 평소보다 2시간 일찍 잠에서 깼다.

그런데 평소와 달랐던 것은 그뿐만이 아니다. 잠에서 깨는 순간 그의 머릿속에 과거의 장면 하나가 스쳤다. 그가 그렇게 기억해내려고 애를 썼던 그 장면이, 어째서 이토록 생생하게 떠오른 것인지는 알 수 없다.

그는 몸을 벌떡 일으켜 세워 서재로 쓰는 방의 작은 서랍 하나를 재빠른 동작으로 열었다. 그러고는 급한 손놀림으로 어떤 물건 하나를 꺼내어 들었다. 그것은 조금은 낡아 보이는 지갑이다. 그 지갑은 현재의 직장에 입사한 후 새로 구매한 지갑에 밀려 서랍

속 신세가 되어 버린, 이전에 그가 아껴 사용하던 것이다.

창우는 바로 그 지갑을 열고는, 손가락으로 그 안 여기저기를 휘저었다. 그러자 누렇게 색이 바랜, 여러 번 접힌 종이가 하나 빠져나왔다. 그는 자신도 모르게 침을 꿀꺽 삼킨 후 그 종이를 펼쳤다. 거기에는 '35.2045690, 128.7142573'이라는 알 수 없는 숫자들이 적혀 있다.

창우는 그 종이를 한 손에 쥔 채 다시 지갑 안을 뒤적거렸다. 하지만 지갑 안에는 작은 먼지들만 있을 뿐 다른 물체는 전혀 남아 있지 않다.

마치 알 수 없는 무언가가 창우를 도와주기라도 한 듯 다시 선명하게 떠오른 그 날 그 순간의 장면을 되새기고는, 그는 자신이 손에 쥐고 있는 그 메모지가 도진으로부터 건네받은 그것이 맞다는 의미로 고개를 두 번 끄덕였다. 그러고는 메모지에서 시선을 떼지 않은 채로 바로 옆에 있던 의자에 털썩 앉았다.

'도진이 준 메모지가 맞아. 그날 저녁에 친구들하고 모여서 놀다가 재킷 안주머니에 있던 이 메모지를 지갑 속에 넣어뒀었어. 그땐 그다음 날 이걸 펼쳐보려고 했었는데, 지금까지 잊고 있었네. 이제나마 생각이 나서 다행이긴 한데…. 그런데 이 내용은 무슨 의미지.'

고민을 해결했나 싶었는데, 다시 고민이 시작되었다. 창우는 시간이 가는 줄도 모르고 그 메모지를 뚫어지게 바라보았다. 그의 눈에는 어떤 알 수 없는 기대감이 어려있다.

그렇게 20분 정도가 지나자, 5분 전까지도 또렷했던 그의 눈빛이 잠에서 막 깨어난 듯한 몽롱한 상태로 되돌아갔다.

"에이, 이게 뭐야. 위기에서 벗어날 방법이나 그 녀석 전화번호라도 있을 줄 알았네."

칭우는 그 메모지를 책상 위에 던지듯 올렸지만, 다시 집어 들어 유심히 보았다. 하지만 그 내용의 의미를 모르겠다는 듯 그것을 구겨 손에 쥔 채 고개를 들었다.

'차도진, 그 성격에 장난질했을 리는 없고, 어떤 단서인 것 같은데. 도대체 나에게 뭘 말하고 싶은 걸까…. 그나저나…. 이상한 천체는 지금 어디쯤 와 있을까? 그 위치라도 알고 싶네.'

창우는 강에 빠져 허우적대다 지푸라기라도 잡았건만, 그 지푸라기가 툭 꺾여버린 듯한 기분으로 다시 침대로 가 벌러덩 누웠다. 그리고 생각이 많은 표정과 함께 눈을 힘주어 감았다.

하지만, 오래지 않아 다시 눈을 번쩍 떴다.

"위치?!"

그는 침대에서 다시 내려와 급한 몸놀림으로 다시 서재로 갔다. 그리고 구겨진 채로 책상 위에 놓여 있던 메모지를 다시 집어 들어 펼쳤다.

"이거…. 이건 좌표잖아."

그는 곧장 책상 위에 있던 컴퓨터를 켜, 세계 지도 애플리케이션에 접속한 후 메모지에 적혀 있는 좌표를 입력했다. 그러자 한 지점이 나타났다. 그 지점은 어느 공업 도시 외곽의 한 장소이다.

창우는 그 위치를 확대하여 지형과 건물의 생김새를 살폈다.

'위성 사진으로 봐서는 여긴 공장 밀집 지역이고, 도진이 알려준 지점 역시도 어떤 공장 건물인 것 같은데.'

그는 메모지에 적힌 내용과 컴퓨터 모니터에 나타나 있는 위성 지도를 여러 번 번갈아 본 후, 도진이 의도한 바를 확신한다는 의미로 입술을 가볍게 깨물며 고개를 끄덕였다.

'그런데, 왜 나에게 이 위치를 알려준 것일까. 이곳에 뭐가 있길래.'

도진에게 건네받은 메모지에 적힌 내용이 어떤 장소인 것을 알아낸 창우는, 궁금증을 이기지 못해 즉시 외출 준비를 했다.

언제부터 거기에 있던 것인지 알 수 없는, 주방 한쪽에 놓여 있던 빵 두 개와 작은 병에 든 오렌지 주스 하나, 그리고 물이 든 통을 하나를 가방에 챙겨 넣고는 무언가에 쫓기는 듯한 몸짓으로 집을 나섰다. 그리고 곧장 주차장에 주차되어 있던 차의 전원을 켰고, 네비게이션에 해당 좌표를 입력 후 가속 페달을 힘차게 밟으며 목적지로 출발하였다.

과속으로 예정 시간보다 30분이나 일찍 목적지가 있는 도시의 초입에 도달한 그는, 이제는 속도를 늦춰 신중한 태도로 그곳을 찾기 시작했다. 네비게이션이 정확하게 안내를 해주고는 있으나, 초행길인 데다가 좁은 골목길 사이를 지나야 하는 탓에 목적지에 다다르는 과정이 수월치만은 않다.

그리고, 어느 순간 네비게이션의 화면에 진행 보조선이 사라지고 안내 음성마저 끊겼다. 출발 전 입력한 그 위치에 정확히 도착한 것이다.

그는 지어진 지 오래된 듯 허름해 보이는 한 커다란 공장 건물의 앞마당에 차를 세우고는 자동차 전원을 껐다. 그리고 천천히 차에서 내렸다. 그러고는 긴장이 되었는지, 곧장 가방에서 물통을 꺼내어 물을 벌컥벌컥 들이켰다. 그가 챙겨온 빵은 아직 그의 뱃속으로 들어가지 않고 그대로 남아 있다.

창우는 고개를 뒤로 젖히며 규모가 큰 그 공장 건물을 잠시 보고는, 이번에는 좌우로 고개를 돌려 주변을 살폈다. 그가 서 있는 곳에서는 그 어떤 인적도 느껴지지 않았고, 최근에 사람이 다녀갔다는 흔적도 전혀 없어 보였다.

파란 하늘에서 흰 구름이 둥둥 떠 여유를 즐기고 있는 화창한 날씨이나, 그가 서 있는 이 장소는 낡은 외관의 커다란 건물과 텅 비어있는 앞마당 때문인지 꽤 음침한 기분이 든다. 그 때문에 그는 자신도 모르게 몸을 한차례 부르르 떨었다.

창우는 손을 바지 주머니에 넣어 도진에게 받은 메모지를 다시 꺼내어 들었다. 그리고 그 좌표를 스마트폰의 지도 애플리케이션으로 재차 확인하였다.

'여기가 맞긴 하는데…. 왜 이곳을 알려준 것이지?'

창우는 조심스러운 발걸음으로 건물 주변을 둘러보기 시작했다. 그의 발걸음이 닿는 곳곳에는 온갖 잡초들이 정리되지 않은 상태로 서로 경쟁하듯 자라나 있고, 지면은 깨어진 콘크리트 조각들로 꽤 지저분하다. 이 장소는 사람의 발걸음이 닿지 않은 지 최소 3년은 되어 보인다.

앞마당에서 바라본 건물 정면에는 높이가 5m는 훨씬 넘을만한 커다란 문이 하나 있으나, 녹슨 쇠사슬과 금속으로 만들어진 누런빛의 둔탁한 봉이 덧대어져 단단히 잠겨 있다. 그 외에는 안으로 들어가는 입구라고 할 만한 문이 보이지 않는다.

창우가 그러고 있는 동안, 그 앞 왕복 2차선의 도로에는 그 위를 달리는 자동차가 간간이 보였다, 하지만 그들은 이곳에 볼일은 없다는 듯 그저 무심하게 지나칠 뿐이었다.

그렇게 조금은 긴장하며 주변을 둘러본 창우는 다시 차의 문을 열고 운전석에 앉았다. 그러고는 초점이 없는 눈을 하고서는, 입맛을 다시듯 입술을 반복해서 움직였다. 어떤 불안감을 잠재우려는 행동이다.

"도대체 나를 이곳으로 불러들인 이유가 뭐야? 괜히 헛수고했잖아. 젠장!"

기대한 바에 미치지 못했다고 해서 짜증을 내거나 좌절하지 않던 평소와는 달리, 창우는 갑자기 흥분하며 거친 표정과 함께 말들을 쏟아냈다. 확신에 가까웠던 생존의 기대가 무너진 순간, 내면 깊은 곳에 숨겨져 있던 그의 다른 면모가 튀어나온 것이다.

창우는 주머니에서 메모지를 다시 꺼내어 거칠게 펼쳤다.

"이 자식. 이게 뭐냐! 난 그렇게 친절하게 대해줬건만, 너라는 인간은 고작 이딴 식의 장난질로 나를 농락하는 거냐?"

창우는 열려있던 차창을 통해 펼쳐져 있던 메모지를 힘껏 던졌다. 하지만 기껏 종잇조각일 뿐인 그것은 가까운 거리에 툭 하고 떨어졌다.

그는 머리를 숙여 자동차 운전대에 이마를 가져다 댔다. 그리고 긴 한숨을 내쉬었다.

"하아…. 젠장."

그렇게 1분쯤 있는가 싶더니, 그는 고개를 천천히 들어 올려 여전히 초점 없는 눈빛으로 정면을 멍하니 바라보았다.

'그 녀석이 이런 쓸데없는 장난을 쳤을 리는 없어. 분명히 뭔가가 있을 텐데. 그 숫자들은 좌표가 아니었던 건가? 내가 잘못 생각한 건가? 차도진, 참 너답다. 너다워. 괴짜 같은 녀석.'

그러고는 눈을 질끈 감은 채 고개를 좌우로 몇 번 저었다.

'아니야. 아니야. 걔를 탓할 이유는 없어. 차도진이 나에게 뭘 빚진 것도 아니고, 그 숫자들의 의미를 오해한 내 탓이지. 뭐가 되었든 그 숫자들에 숨겨진 의미는 분명히 있을 거야. 그냥 오늘 하루는 힘든 운동을 한 셈 치자.'

창우는 차의 전원을 켰다. 그러고는 뭔가 아쉬운 듯 차창을 통해 주변을 훑듯 다시 살폈다. 그리고 이내 가속 페달을 밟아 천천히 그곳을 빠져나가기 시작했다.

그런데 그때, 의도치 않게 창우의 시야에 높게 쌓인 상자 더미가 들어왔다. 그저 너저분하게 쌓여 있는 플라스틱 상자들일 뿐인데, 왜인지 마치 강력한 출력의 서치라이트처럼 강렬하게 그것이 그의 눈에 걸렸다.

창우는 전원을 켜 둔 채 차에서 내려 플라스틱 상자가 너저분하게 쌓여 있는 그곳으로 천천히 걸었다. 그리고 그 앞에 섰다.

무슨 용도로 사용되었는지 알 수 없는 플라스틱 상자들은 공장 건물 벽 한쪽에 사람 키를 조금 넘길 만큼 쌓여 있다. 그래서 벽면의 일부가 그것들로 인해 완전히 가려져 있는 것이다.

그는 상자 더미를 자세히 살폈다.

'뭔가 자연스럽지 못해. 상자 곳곳에 묻어 있는 흙먼지들의 두께와 색이 일률적이지 않고, 저기 상자 두 개는 다른 것에 비해서 깨끗한 편이야. 비가 와서 먼지가 씻겼다면 저것만 저럴 수는 없잖아. 그리고…. 누가 만진듯한 흔적들….'

창우는 오른손으로 자신의 턱을 매만지며 눈을 게슴츠레하게 뜬 채 곰곰이 생각에 잠겼다. 그러고는 쌓여 있던 상자들을 하나씩 빼내어 옆으로 치웠다. 그러자 그에 의해 치워진 상자들이 질서 없이 여기저기 뒹굴었다.

"어? 저건…."

상자 대부분이 치워졌을 때쯤, 벽면에 인위적인 어떤 윤곽이 보였다. 그것이 보인 순간, 그는 남아 있던 상자들마저 빠르게 치운 후 그것을 관찰하였다.

"문?"

잠금장치가 전혀 없는, 허리를 숙이면 성인 남자 한 명쯤은 몸을 숙여 들어갈 수 있을 만한 문이 거기에 있고, 그 문은 완전히 닫혀있지 않아 약간의 틈이 보였다.

창우는 자신도 모르게 입에 고였던 침을 꿀꺽 삼킨 후, 조심스럽게 자신의 손가락을 그 문틈으로 끼워 넣었다. 그리고 그 문을 당겼다. 문은 아무런 저항 없이, 그리고 그 어떤 잡음도 없이 매끄럽게 열렸다. 그것은 분명 최근까지도 누군가가 사용했다는 근거

중 하나로 볼 수 있다.

문이 매끄럽게 열린다는 사실이 오히려 더 이상했던 탓에, 그의 전신에는 순간 소름이 돋았다. 그리고 긴장되는 마음을 애써 누르며, 허리와 고개를 숙여 엉거주춤한 자세로 열린 문 안으로 들어갔다. 그리고, 안으로 몸을 완전히 옮겨 몸을 펴 세운 창우가 마주한 것은 어떤 거대한 기계장치이다.

그것의 겉면은 연한 주황빛이 도는 금속판이 대부분이고, 그 중간중간에는 아무런 가림없이 적나라하게 노출된 각종 기계장치 부품들로 구성되어 있다, 높이는 아파트 5층 정도로 이 공장 건물의 천장에 가까울 정도로 높고, 너비는 30m 정도이다. 그 거대함에 창우는 마치 바닷속에서 거대한 고래를 만나기라도 한 듯, 이상하게 생긴 이 기계 덩어리 구조물의 기세에 눌려 두려움이 일었다.

그는 눈을 동그랗게 뜨고 입을 벌린 채 자신의 앞에 보이는 생소하며 복잡한 기계장치 덩어리를 놀란 듯 바라보았다.

"이…. 이게, 뭐야?"

관리된 흔적이라고는 전혀 느껴지지 않던 건물의 외부와는 달리, 이곳 내부는 굉장히 깔끔하게 정리가 되어있다. 아마도 이 기계를 만드는 데 쓰였을 법한 도구들이 벽 한곳에 마련된 공구함에 가지런히 정렬되어 있고, 그 외 쓰다남은 부품들과 금속 조각들도 일부러 정리해 둔 듯 나름 질서 정연하게 벽면을 따라 쌓여 있다.

창우는 여전히 눈을 크게 뜨고 입을 벌린 상태로 주변을 두리번거리며 살폈다. 이 안에는 그 어떤 인기척도 느껴지지 않는다. 대신 '우우웅'하는 얇은 저음의 소리가 귓가를 맴돌고 있을 뿐이다.

그의 시선에 익숙한 무언가가 포착되었다. 그것은 기계 덩어리의 한쪽 면에 붙어 있는 대형 모니터 2개이다. 모니터의 전원은 켜져 있고, 화면에는 알아보기 힘든 문자들이 빠른 속도로 스크롤 되며 출력되고 있다.

그는 몸을 뒤로 물러 기계 구조물을 가만히 지켜보았다. 그러고는 고개를 숙여 바닥을 응시한 채 생각에 잠겼다. 거대한 이 기계 구조물에 압도된 탓에, 그는 자신을 이곳으로 인도한 요인이 차도진의 메모지라는 사실을 잠시 망각하고 있는 상태이다. 그보다, 차도진이라는 인물과 이 이상한 기계 구조물과의 연관 관계를 인정하지 않고 있음이 틀림없어 보인다.

'그냥 고철 덩어리는 아니라는 말인데, 이게 도대체 뭘까? 이런 걸 누가 만들었지? 혹시, 여긴 어느 기업에서 작업장으로 사용하는 장소인가? 이 기계 덩어리가 어떤 기능을 하는지 모르겠지만, 그냥 겉으로만 봐도 이 정도로 꾸미고 만들려면 비용이 굉장히 많이 들 거야. 그렇다면 일개 개인이나 작은 단체는 아닐 거라는 말이지. 도대체, 어느 회사에서 이런 식으로 꾸며 작업을 하는 것이지? 굳이 이런 누추한 곳에서.'

의문에 의문이 꼬리를 물었다.

'이게 만약 비밀리에 진행되는 프로젝트의 일부라면, 이런 장소에 숨어서 작업하고도 남지.'

그는 다시 한번 가만히 서서 자신의 앞에 있는 큰 기계 구조물을 훑어보았다.

'와…. 이 정도로 정밀하게 가공한 부품들이 붙어서 최종적으로 무슨 기능을 하는 걸까? 아무리 봐도, 개인이나 소규모 단체에서 만든 것은 분명 아닌 것 같아. 불가능해. 그건 그렇고, 어째서 이 시설을 관리하는 사람이 하나도 없지? 내부는 이렇게 깨끗하고 정돈이 되어있는데, 외부에는 최근까지 사람이 드나든 흔적이 하나도 없던 말이야. 그것도 이상해.'

그가 그렇게 그 내부 곳곳을 훑으며 20분 정도를 머물렀을 때, 그제야 차도진의 존재가 다시 떠올랐다.

'차도진이 이 위치를 알려준 것은, 그가 이와 관련이 있는 것이 분명해. 게다가 지금 지구로 다가오는 천체와도 어떤 연결점이 있을 거야. 음…. 이 기계 덩어리 내부에 있는 컴퓨터가 작동하는 중이고 주변이 정돈되어있는 것으로 봐서는, 아마 조만간 누군가가 여기로 올 것 같아. 그렇다면….'

창우는 그 생각이 떠오름과 동시에 즉시 이 공간을 벗어나 밖으로 나갔다. 그러고는 빠른 몸동작으로 차의 운전석에 올라탔다. 그리고 이곳을 완전히 빠져나가, 이 공장 앞마당으로 드나드는 사람을 확인할 수 있는 길가에 주차했다. 그 후 그는 차에 앉아 공장 건물로 들어가는 진입로를 가만히 응시하기 시작했다.

그렇게 그 건물로 누군가가 들어가는 장면을 포착하기 위해 기다린 지 7시간이 지났다.

집에서 가져온 빵과 주스는 이미 먹어버린 탓에, 허기를 달래기 위해 인근 편의점에 다녀온 약 20분의 시간을 제외하면 창우의 시선은 오로지 그 허름한 공장으로 들어가는 진입로에만 머물러있었다.

세상을 밝혀주던 해는 내일을 기약하며 이제 막 서쪽으로 넘어갔고, 한껏 발랄한 분위기를 만들어주던 구름도 이제 어둠에 덮였다. 그럼에도 창우는 쌓이고 있는 피로를 풀 수도 없이 그저 한 곳을 응시하고만 있다.

오후 9시가 되었다.

길가에 듬성듬성 서 있는 오렌지빛 가로등에 의지한 채 한 지점을 바라보고 있던 창우는, 게슴츠레한 눈으로 자신의 왼손에 걸려 있는 시계를 잠시 본 후 한숨을 내쉬며 눈을 비벼댔다. 그러고는 심심풀이로 켜 놓았던 라디오를 껐다. 그는 이제 컴컴해 잘 보이지도 않는, 작은 전등 하나 켜지지 않고 있는 공장 건물을 바라보았다.

"이 밤중에 누가 올 리는 없을 것 같고, 오늘은 일단 여기까지만 할까."

그는 그곳으로의 시선을 떼고 고개를 뒤로 젖혔다. 그러고는 오른손으로 자신의 목덜미를 누르며 고개를 좌우로 연신 움직였다.

"으윽, 아, 아."

오랫동안 몸을 제대로 움직이지 않은 탓에 몸의 각 부분 근육이 뭉쳤는지, 짙은 신음을 내며 좁은 운전석에 앉아 온몸을 이리저리 비틀어가며 몸을 풀었다. 차 밖으로 나와서 스트레칭을 해도 될 터인데 굳이 그러는 것은, 혹시 이와 관련이 있는 자가 자신을 보고 은밀히 피하기라도 할까 봐 걱정되어서이다. 그 근거 없는 걱정은 지루한 시간이 반복된 것이 원인이 된 어떤 상상 때문이었다.

"하아…. 참 어렵다, 어려워."

지친 기색이 역력한 표정으로 그는 네비게이션에 목적지를 입력하고는 자동차의 전원 버튼으로 손을 옮겨 스위치를 켰다. 그러자 자동차는 주인의 명령에 달릴 준비를 마쳤다.

창우가 가속 페달을 살짝 밟으며 목적지로 출발을 시작한 그때, 그는 무심결에 오른쪽 창문을 보았다. 그리고 희미한 오렌지색 가로등 아래를 지나가는 한 남자가 그의 시야에 들어왔다.

짙은 색 모자를 눌러쓰고, 후드 점퍼에 헐렁한 청바지를 입고는, 고개를 살짝 숙인 채 점퍼 주머니에 손을 넣고 길가를 걷고 있는 그 남자는, 창우의 시선은 전혀 알지 못하는지 그저 한발씩 떼며 앞으로 나아가고 있다.

창우는 가속 페달에서 발을 떼고는, 왜인지 익숙한 느낌의 그 남자를 물끄러미 바라보았다. 헐겁게 끼워진 펜 뚜껑이 흔들리듯 흐느적거리는 상체와는 달리 힘찬 발걸음을 가지고 있는 그 남자는 잠시 후, 창우가 그토록 바라보고 있던 공장 건물의 진입로를 지나 그 안으로 들어갔다.

남자가 주변을 두리번거린다거나 망설임 없이 안정적인 자세로 그곳을 향했다는 것은, 이전부터 자주 드나들었던 장소라는 의미이다.

창우는 마치 온종일 한 마리도 낚지 못하다가 마지막으로 던진 낚싯대에 물고기가 걸려든 것 같은 기분으로 얼른 차에서 내렸다. 그러고는 이제는 익숙해진 그 공장 건물 쪽으로 곧장 빠르게 몸을 옮겼다.

　공장 건물의 앞마당은 낮보다 더 음침하다. 낮에도 꺼려질 정도였는데, 밤이 되니 감히 혼자서는 발을 들이기도 싫을 정도로 을씨년스러운 분위기가 감돈다.

　창우는 길가에 서 있는 가로등의 도움이 전혀 닿지 않고 있는 공장 건물 가까이 갔다. 하지만 조금 전 이곳으로 발길이 닿은 것이 확실한 그 남자는 보이지 않는다. 그는 주변을 두리번거리기도 하고 가만히 서서 인기척을 느껴보려 하기도 하였으나, 사람이 이곳으로 들어왔다는 흔적을 지금으로서는 전혀 찾을 수 없다.

　'뭐지? 분명히 사람이 이곳으로 들어왔었는데. 바로 따라붙었으니 이렇게 쉽게 놓칠 리는 없는데…. 이상하다…. 잘못 본 건가?'

　그는 왼손으로 이마를 긁적거리며 몸을 돌렸다. 그때, 창우의 눈앞에 하얗고 강한 빛이 나타났고, 그로 인해 일시적으로 모든 사고와 몸의 움직임이 멈췄다. 그리고 5초 정도가 지나서야 정신을 차릴 수 있었다.

　"뭐, 뭐야!"

　창우는 힘껏 소리를 질렀다. 무엇인지 알 수 없는 상대에 대한 작은 위협이자 소심한 방어였다. 하지만 그의 그 우렁찬 한마디는 상대에게 전혀 위협이 되지 않았는지, 얼굴에는 계속해서 밝은 빛이 비치고 있었다. 창우는 자신의 손을 얼굴 쪽으로 올려 그 불빛을 막으며 눈을 게슴츠레하게 떠 상대의 공격에 맞서려고 했지만, 당황한 탓에 어떤 행동을 해야 할지 결정하기가 쉽지 않았다.

　상대에 대한 방어나 공격을 하는 것보다 달아나기로 한 창우는,

다리에 힘을 주어 저 멀리 가로등 불빛이 보이는 방향으로 뛰기 시작했다. 그러자 창우의 귀에 익숙한 목소리와 몸의 긴장을 풀어주는 한마디 말이 들려왔다.

"박창우."

이제 막 내달리기 시작한 창우는 순간 다리가 꼬여 바닥에 넘어졌고, 이내 고개를 돌려 상대를 바라보았다. 조금 전 그 찰나의 순간으로 인해 창우의 이마에는 진한 땀이 맺혔다. 그리고 상대는 창우의 몸으로 향해있던 손전등을 자신의 얼굴로 비췄다. 그러고는 다시 창우를 향해 말했다.

"나야. 차도진."

창우는 잠시 멍한 상태가 되어 바닥에 반쯤 누운 채 한껏 커져 있는 눈으로 그를 바라보았고, 도진이 자신의 얼굴로 비추고 있던 손전등을 다시 아래로 내린 후 창우에게 다가가자, 그는 그제야 정신을 차리고 주섬주섬 몸을 일으켜 섰다.

창우에게 가까이 다가간 도진은, 가지고 있는 손전등의 불빛을 바닥으로 향하게 하고서는 창우와 마주 보며 섰다. 하지만 어둠 탓에 서로의 얼굴이 제대로 보이지는 않았다.

"박창우, 제대로 찾아왔군."

그 말을 들은 창우의 눈에 빠르게 눈물이 고였다. 기대했던 순간을 맞아서였을까. 아니면 오늘 하루 고생한 보람이 있다는 의미였을까. 그게 아니라면, 그저 도진을 다시 만난 것이 반가웠을까.

도진은 창우의 눈에 눈물이 고였다는 사실 따위는 알지 못한 채 그저 가만히 서서 창우의 반응을 기다렸다. 그리고 창우는 어둠 속에서 머쓱한 표정을 지어 보이고는 괜히 이마의 땀을 손으로 쓱쓱 닦아 옷에 닦았다.

그렇게 잠시 뜸을 들린 창우가 드디어 입을 열었다.

"어…. 차도진? 오, 오랜만이네. 잘 지내지?"

"그냥, 그래."

상대의 말에 퉁명스럽고 짧게 응하는 습관, 도진은 그 이전에 비해 달라진 것이 없었다. 최소한 겉으로 보이는 것만은 그랬다.

서로의 정체가 정확히 밝혀졌고 인사치레가 끝났으니, 이제는 본론으로 들어갈 차례이다. 창우는 헛기침을 한번 하고서는 말을 이었다.

"그때 네가 준 메모지. 거기에 쓰여 있던 숫자가 이곳을 가리키는 좌표인 것을 알고 찾아 왔어. 그런데, 왜 그렇게 퀴즈를 낸 거야? '좌표'라고 단어 하나만 더 적어두었으면 쉽게 알아봤을 텐데."

"메모지에 숫자만 적어둔 것은, 다른 사람이 그것을 봤을 때 의미 없는 숫자라고 치부하도록 하기 위해서였어. 내가 위험한 상황이 닥칠 때 보라는 말을 하지 않았다면 너 역시도 그저 장난질이라고 생각하며 메모지를 찢어 버렸겠지. 어쨌든 메모지를 당장 보지 않도록 한 것은 내가 너에게 준 단서이고, 넌 그 단서 덕분에 그 숫자에 의미를 부여하여 여기까지 찾아온 거야. 그게 내 의도였어."

도진은 몇 수 앞을 내다본 방법으로 창우를 이곳으로 이끌었다.

"그런데, 단순히 내가 준 메모지에 좌표가 적혀 있었다고 해서

이렇게 멀리까지 온 것은 아닐 테고.“

"물론…. 그렇지. 소행성. 아니, 이상한 천체. 나에게 이 위치를 알려준 이유는 지금 지구로 향하고 있는 그것과 관련이 있는 것이지? 넌 그때부터 이미 그 사실을 정확하게 알고 있었지? 혹시 저 안에 있는 거대한 기계 구조물, 너와 관련이 있어? 그렇다면 도대체 그건 뭘 하는 물건이지?“

창우는 질문을 쏟아냈다. 하지만 도진의 성격으로 봤을 때 그 질문들에 친절하게 답해줄 리가 만무하다. 도진은 창우의 물음에 답은 하지 않고 잠시 몸을 꼼지락거리더니, 손전등을 어느 한 곳으로 비추면서 몸을 돌렸다. 그리고, 그의 그런 행동을 창우는 가만히 서서 지켜보았다.

도진의 손에 들린 손전등의 불빛은 창우가 처음 이곳에 도착하여 발견한 쪽문을 향해있다. 그리고 도진은 천천히 발걸음을 그쪽으로 옮겼고, 창우는 그런 그의 뒤를 따랐다.

쪽문의 앞을 가로막고 있던 상자들은 창우가 발로 차고 손으로 던져서 치운 탓에, 원래 있던 곳에 있지 않고 여기저기 흩어져 있다. 그것을 잠시 살피던 도진이 혼잣말을 하듯 말을 중얼거렸다.

"조금 더 그럴듯한 것들로 가려놔야겠군. 너무 쉽게 간파당했는걸. 뭐, 이왕 이렇게 되었으니 일단은 여기로 드나들면 되겠군.“

그러고는 그는 곧장 그 작은 쪽문을 열고 허리를 숙여 능숙하게 안으로 들어갔다. 창우 역시도 그를 따라 다시 그 안으로 몸을 옮겼다.

안은 컴컴해서 아무것도 보이지 않는다. 그저 도진이 손에 든 손전등의 불빛만이 바닥에서 이리저리 흔들리고 있을 뿐이다. 그러나 어느 순간 출입구에서 조금 떨어진 벽에서 탁 소리가 나자, 갑자기 공간이 환해졌다. 창우는 그제야 도진의 모습을 선명하게 볼 수 있게 되었다.

도진의 전체적인 분위기는 학교 졸업식 날 보았던 그때와 크게 다를 바 없다. 하지만 굳이 달라진 점을 꼽으라면, 어깨까지 닿을 만한 장발이다. 그저 귀찮아서 자르지 않은 듯 관리된 흔적이 전혀 없이 머리 뿌리에서부터 몇 번 물결 지는 머리카락들이 제멋대로 엉켜, 그저 중력의 영향을 받아 축 내려와 있을 뿐이다.

도진의 얼굴색은 탁하고 눈 주변의 피부가 거멓게 침착되어 있었다. 그 모양새는 창우에게는 매우 익숙하다. 회사 프로젝트가 한창 진행되던 기간에 자신이나 동료들의 얼굴을 보면 딱 그랬기 때문이다.

도진은 들고 있던 손전등을 벽에 튀어나온 걸이에 걸어놓고는, 창우에게 눈길도 주지 않은 채 모니터가 장착되어있는 곳으로 곧장 걸어갔다. 그리고 그 근처에 접혀 감춰져 있던 작고 허름한 의자를 펴놓고 앉아 모니터에서 출력되고 있는 문자와 숫자들을 가만히 지켜보기 시작했다.

창우는 학창시절과 한결같은 태도를 보이는 도진에게서 조금 거리를 둔 채 그를 가만히 지켜보다가, 쭈뼛거리는 움직임으로 그 근처의 구석에 감춰져 있던 의자를 하나 가져와 그의 옆에 앉았다.

의자는 모두 5개가 있다. 그리고 모두 누군가가 사용한 흔적이 있다. 그렇다는 것은 이곳을 주기적으로 찾은 사람은 도진 혼자가 아니라는 의미이다.

도진의 옆에 멀뚱히 앉은 창우는, 자신의 두 손을 맞잡은 채 손가락을 꼼지락거리며 그저 눈알만 여기저기로 굴려댔다.

그렇게 시간은 15분 정도가 흘렀고, 도진은 계속해서 오랜만에 만난 창우를 마치 꿔다놓은 보릿자루처럼 대하고 있다. 어쩌면 두 개의 모니터에서 출력되고 있는 문자와 숫자들에 집중하느라 창우의 존재를 잊은 것일지도 모른다.

창우는 자신의 왼손을 들어 시계를 보았다. 시간은 밤 10시를 향해 가고 있고, 그에 비례하여 그의 머릿속은 복잡해지기 시작했다. 지금 차로 집을 향해 출발하더라도 졸음을 이겨내며 어두운 밤길을 몇 시간 동안이나 달려야 도착할 수 있을 것이고, 이 상태로 이곳에서 계속 머물자니 당장은 그의 체력이 허락하지 않는다.

그래서 휴식이 필요한 창우는 앉아 있던 의자에서 몸을 일으켜 주변을 두리번거렸다. 하지만 눈에 보이는 것이라고는 수없이 많은 금속 부품과 판, 조각들이 서로 결합한 거대한 기계 구조물과 그것을 이리저리 휘감고 있는 굵고 얇은 전선들, 그리고 모양새가 특이한 기계 작업용 도구들 따위가 전부이다.

창우는 도진을 힐끔 보았다. 그는 어렵게 찾아온 손님에게 관심을 줄 생각이 전혀 없어 보였다. 그런 그의 태도에 익숙하기도 했고, 나름의 이유가 있으리라 생각한 창우는 그를 방해하지 않기로 했다.

그렇게 도진에게서 멀어지며 쉴 곳을 찾으려던 찰나, 한쪽 벽면에 여러 개가 이어 붙어 반듯하게 서 있는 나무판자가 시야에 들어왔다. 의외로 눈에 잘 띄는 모양새인데, 아마도 거대한 기계 구조물에 정신이 팔려 그저 벽면으로 착각한 탓에 이제야 발견할 수 있었던 것 같다. 역시 원해야 눈에 띄는 법이다.

야간작업하는 엔지니어의 특성을 잘 알고 있던 그가 예상한 대로, 그 나무판자 너머에는 침낭 몇 개와 두께가 5cm 정도는 될만한 매트리스, 그리고 간편식, 휴대용 버너 등이 있다. 창우는 일단 바닥에 적당히 개어져 있던 여러 개의 매트리스 중 하나를 펼쳐 바닥에 깔았다.

'침낭과 매트리스가 모두 5개씩 짝을 맞춰 갖춰져 있어. 그렇다는 것은⋯. 역시, 이 작업은 도진 혼자서 하는 게 아니야. 최소 4명이 더 있어. 그런데, 나머지 사람들은 왜 나타나지 않지?'

자신도 모르게 침낭마저 펼쳐 든 창우는 잠깐 누워 쉬어야겠다는 생각에, 침낭에 몸을 넣고는 누웠다. 평소에 그가 잘 쓰지 않는 물건이라 그런지 몸에 닿는 느낌과 사용방법이 어색했지만, 곧 익숙해져 편안한 상태가 되었다. 그리고 온종일의 피로와 긴장이 풀어진 덕분에 그대로 잠에 빠져들었다.

이곳에서 일어나고 있는 일

툭, 탁. 부시럭.

창우는 귀를 자극하는 어떤 반복되는 소리에 잠에서 깨어났다. 하지만 아직 잠이 덜 달아난 탓에 곧바로 눈을 뜨지는 못하고, 그저 얕은 신음과 함께 몸만 약간씩 움찔거렸다.

"으으응. 끄응."

그러고는 반복적으로 들려오는 어떤 소리에 더는 잠을 이루지 못한다는 것을 깨닫고는 힘껏 눈을 떴다.

'아, 1시간쯤 잤나?'

창우는 왼팔을 침낭 안에서 꺼내어 자신의 눈앞에 가져다 댔다.

'6시 30분? 뭐야…. 벌써 시간이….'

그저 잠깐 잤다고 생각했지만, 꽤 오래 숙면을 했다는 사실을 깨달은 창우는 미련 없이 허리에 힘을 주어 상체를 일으켜 세웠다.

그러고는 그 주변을 두리번거렸다. 그때, 창우의 시야에 사람 두 명이 보였는데, 한 명은 도진이었고, 다른 한 명은 이전에 본 적이 없는 낯선 사람이다.

그들을 보자마자 침낭의 지퍼를 완전히 내리고 일어선 창우는, 자신의 바로 근처에서 무언가를 하고 있던 그 둘을 번갈아 바라보았다. 그러자 도진이 아닌, 처음 보는 누군가가 창우에게 말을 걸었다.

"잘 잤어요?"

굵지만 친근한 목소리에 약간의 미소로 맞아주는 그 낯선 이에게, 창우는 얼떨떨한 표정을 지으며 그의 정체에 대해 궁금할 틈도 없이 응했다.

"아…. 네. 잠깐 누워있다는 게 그만, 잠이 들어 시간이 이렇게나 되었네요."

"그랬나요? 많이 피곤했나 보네요. 코를 많이 고시던데."

그 말에 창우는 조금은 민망한 표정을 지었다.

"오랜만에 초행길 장거리 운전을 한데다가, 여러모로 신경을 좀 써서 그런지 좀 피곤했나 봅니다."

"그렇군요. 출출하실 텐데, 식사나 같이하시죠."

창우를 잠에서 깨운 그 소리는 그들이 아침 식사를 준비하는 소리였다. 낯선 남자의 배려심 깊은 말에 창우는 숙면하게 해준 매트리스와 침낭을 곱게 개어 원래의 자리에 놓아두고는, 몇 가지 음식들이 놓인 근처의 작은 테이블로 갔다. 그리고 비어있던 의자에 앉았다.

창우는 어제부터 지금까지 궁금한 것이 쌓여 있지만, 자신을 꿔다놓은 보릿자루처럼 대하는 도진과 누구인지 알 수 없는 낯선 사람에게 이른 아침부터 다짜고짜 질문 세례를 쏟아낼 수는 없다는 생각에, 일단은 그들은 마련해준 식사부터 해결한 후 궁금증을 풀어볼 기회를 엿보기로 했다.

그렇게 간편식으로 준비된 음식을 이제 막 입에 넣었을 때, 낯선 이가 먼저 창우에게 말을 걸었다.

"우리 형하고 같은 학교, 같은 과를 나오셨다고 들었습니다."

그 말을 들은 창우는 조금은 놀란 눈을 하고서는 그 둘의 얼굴을 번갈아 훑었다.

'둘이 형제 사이이구나. 그런데 서로 얼굴이 닮지도 않았고, 분위기도 다르네.'

도진의 동생인 그 낯선 이는 마치 이제 막 군대에 입대한 사람처럼 짧은 머리카락을 한데다가, 빳빳하게 잘 다려입은 단색 복장으로 외모를 단정하게 꾸미고 있고, 평소 운동을 하는 것인지 아니면 육체적인 일을 하는 것인지 알 수는 없지만 전체적으로 잘 발달한 근육과 체형을 가지고 있다. 도진이 사회성은 떨어지는 약골의 천재 느낌이라면, 그의 동생은 머리 쓰는 재능은 부족하지만 누구와 몸싸움을 해도 이길 것 같은 다부진 싸움꾼 같은 느낌을 주고 있다.

창우는 상대의 대화 시도에 바로 응했다.

"네. 같은 강의실에서 공부했습니다."

"음식은 먹을 만합니까?"

마침 쌀밥 한 숟가락을 입에 잔뜩 넣고 있던 창우는 입을 오물 거리며 어색하게 고개만 끄덕였다. 창우는 궁금한 것이 계속해서 쌓이고 있었지만, 일단 식사가 끝날 때까지는 참아보기로 했다.

오래지 않아 식사가 모두 끝났고, 자리가 정리되었다. 그러자 도 진은 어젯밤에도 그랬던 것처럼 아무 말 없이 곧장 모니터가 있는 곳으로 가 의자에 앉았다. 창우는 그런 그를 다시 물끄러미 바라보 고는 괜히 이마만 긁적였다.

그때, 도진의 동생이 손에 들고 있던 쓰레기를 바닥에 집어 던 지며 창우에게 말을 걸었다.

"커피 드세요? 커피 한잔할까요?"

"아…. 좋지요. 제가 커피 사겠습니다. 근처에 카페가 있는지 모 르겠네요."

"커피는 여기도 많이 있어요."

도진의 동생은 조금 전 식사를 했던 자리 근처의 작은 탁자를 가리켰다. 그곳에는 건식 인스턴트 커피들이 잔뜩 있다. 하지만 창 우는 음식을 대접해준 보답을 하겠답시고 상대의 만류를 뿌리치고 는, 쪽문이 있는 방향으로 몸을 돌렸다. 그러자 그것을 본 도진의 동생이 조금은 큰 목소리로 말했다.

"여긴 공업 지역이라서 멀리 나가야 찾을 수 있을 겁니다. 그냥 저걸로 먹어요. 아, 혹시 마음에 안 들면 녹차 티백도 있습니다."

"아, 아닙니다. 인스턴트 커피도 훌륭하죠. 하하하."

그렇게 종이컵에 커피 두 잔을 만든 둘은, 도진의 동생을 선두 로 해서 건물 밖으로 나갔다. 밖에서 본 하늘은 우중충하게 흐려,

당장이라도 비가 내릴 듯하다.

출입문 바로 근처에 선 둘은 손에 든 커피를 홀짝거리기 시작했다. 그리고 도진의 동생은 주머니에서 담배를 하나 꺼내어 입에 물었다.

그런 상대의 모습을 본 창우는 지금이 기회라는 생각에 궁금증 보따리를 천천히 풀기 시작했다.

"그런데 이름이…?"

"아, 그러고 보니 통성명도 제대로 안 했네요. 차진성입니다."

"저는 박창우입니다. 만나서 반갑습니다."

"네. 창우 씨 이름은 형에게 이미 들어서 알고 있습니다."

"도진이가 제 얘기를 했나요? 의외네요. 사람에게는 관심도 없고, 굳이 남의 얘기를 꺼내지도 않을 것 같았는데."

"말을 안 할 수 없었죠. 제가 어제 밤늦게 이곳에 왔는데, 웬 낯선 사람이 제 침낭을 덮고 곤히 잠에 빠져들어 있는 것을 봤으니. 그 정체를 형이 저에게 말을 안 하면 도둑으로 착각해서 제가 무슨 짓을 할지 모르니까요."

그 말에 창우는 오른손으로 자신의 목 뒷덜미를 쓰다듬으며 멋쩍은 웃음을 짧게 내뱉으며 말했다.

"아…. 하핫, 그랬군요. 죄송합니다. 워낙 피곤했던 터라 허락도 없이…."

"그건 문제없습니다. 그저 모르는 사람이 이 안에 있었다는 게 문제였지요. 게다가 형이 알려줘서 찾아 왔다면서요? 창우 씨가 잘못한 것은 하나도 없죠. 그나저나, 우리 형하고는 이전에 잘 지내

셨나요?"

"그게…. 친했다기보다는, 가끔 제가 먼저 대화를 시도하는 관계였을 뿐이죠…."

그 말에 진성은 담담한 표정으로, 입을 약간 삐죽 내밀며 고개를 몇 번 끄덕였다. 그럴 줄 알았다는 의미였다. 그러고는 뜬금없는 질문 하나를 창우에게 던졌다.

"혹시 책임감이 강하다거나, 긴장을 잘 하지 않는다거나, 뭐 그런 편인가요?"

창우는 취업 면접관에게서나 들을만한 뜬금없는 그 질문에 무어라 대답을 해야 할지 잠시 고민을 했다.

"책임감요? 뭐, 때에 따라 다르긴 한데, 공적인 일에는 그런 편이지요. 긴장은…. 글쎄요…. 긴장을 전혀 하지 않는 것은 아닙니다만, 그런 편이긴 하죠."

진성은 다시 창우로부터 시선을 떼고는 무표정으로 담배 연기를 공중으로 내뿜은 후, 무언가를 생각하는 듯 잠시 그대로 머물렀다. 그리고 말했다.

"뭐, 어쨌든 잘 오셨습니다. 형이 창우 씨를 부른 건 중요한 일을 함께하려는 겁니다. 그건 그렇고, 궁금한 게 많으실 것 같은데."

상대가 이제부터 질문해도 좋다고 깔아준 멍석에, 창우는 자연스럽게 그 위로 올라가 궁금한 것들을 상대에게 하나씩 던지기 시작했다.

"안 그래도 궁금한 게 많은데, 도진은 워낙 말수가 적고, 저와도 말을 잘 안 섞으려다 보니…."

"압니다. 형이 좀 그런 편이죠."

"네…. 저 안에 있는 건 도대체 무슨 기계장치인가요?"

진성은 잠시 뜸을 들인 후 그 질문에 응했다.

"일단 형 얘기부터 해야겠네요. 창우 씨기 오해할 수도 있으니. 우리 형, 나쁜 사람은 아니에요. 무뚝뚝하고 말수가 적어 그렇게 보일 뿐이지. 어렸을 때 안 좋은 일을 겪어서 대인기피증에 방어적인 성격이 된 거예요. 이상한 사람도 아니고, 남에게 피해를 주는 사람도 아닌데, 형의 저런 성격 때문에 사람들이 안 좋게 생각해서 좀 안타깝죠."

"안 좋은 일? 어떤 일인지…."

"음…. 그게…. 뭐, 창우 씨도 이제 저희와 큰일을 같이 해야 할 사람이니 말해줄게요."

창우는 상대가 말한 '큰일'이라는 것이 무엇인지 예상이 되면서도 그 구체적인 내용이 궁금해 견딜 수 없었으나, 일단 인내심을 가지고 하나씩 알아내기로 하고는 상대의 말을 묵묵히 경청하기 시작했다.

진성은 담배 연기를 깊이 빨아당긴 후 내뿜고는 입을 열었다.

"어렸을 때 형은 무슨 이유에서인지 또래 아이들로부터 따돌림을 당했어요. 저도 그걸 나중에서야 알게 되었는데, 휴우…. 진작 알았다면 그 자식들을 전부 패주는 건데. 나쁜 자식들."

진성은 자신의 형인 도진이 어렸던 학창 시절에 주변 학생들로부터 지속해서 따돌림을 당했고, 그 때문에 사람을 대하는데 부정적인 인식이 깊이 박혀 현재까지도 타인에게 마음을 문을 열지 않고 있다고 했다. 하지만 그런 일을 겪은 탓에 오히려, 그 나이대의 아이들이 하지 않을만한 학문적이고 독특한 취미 활동에 몰두했다고 했다. 그것이 지능 수준이 또래 아이들보다 아주 높았던 도진이 사회성을 키우는 대신 선택한, 인생을 살아가는 자신만의 방법이 된 것이다.

그것을 들은 창우는 이제야 도진이 왜 뭇 사람들로부터 벽을 치고 지냈던 것인지 이해가 된다는 듯 고개를 크게 끄덕였다.

"그런데, 따돌림을 당한 후로 대인기피증이 생긴 형에게 언제부터인가 어울리는 친구가 하나 생겼죠. 형이 친구라고 부를만한 사람은 딱 그 사람 하나입니다."

"마음의 문을 닫았다더니 친구가 생겼어요?"

진성은 다시 한번 담배 연기를 빨아당겨 내뱉었고, 이번에는 입을 오물거리더니 침을 바닥에 소리 없이 뱉은 후 그 물음을 받았다.

"네. 확실히. 그때가 아마…. 형이 17살, 아니 18살 때였던가…. 나이는 형보다 한 살이 많았고, 나이 외에는 정체를 알 수 없던 사람이었죠. 형의 유일한 친구인 그 사람을 우연히 만난 적이 있었는데, 그도 형만큼 행동이나 말투가 독특했어요. 언젠가 하루는 형에게 둘이서 무엇을 하며 노냐고 물어보니, 저에게 두꺼운 노트를 한 권 던져주며 보라고 하더라고요. 거기에는 도무지 뭔지 알 수 없는 수학 공식과 이상한 도형, 기호들이 잔뜩 적혀 있었어요. 참 끼리끼리 논다는 말이 딱 들어맞는 경우였죠."

창우는 흥미롭다는 눈빛으로 고개만 가만히 끄덕이며 조용히 다음 말을 기다렸다. 진성은 입을 오물거리더니 남아 있던 커피를 마저 들이켰다. 그러고는 다시 바닥에 침을 탁 뱉은 후 다시 입을 열었다.

히지만 진성은 지신의 형에 관한 이야기는 **충**분히 했다고 생각했는지, 텔레비전의 채널을 돌리듯 갑자기 주제를 바꿔 창우가 진짜 알고 싶어 할 만한 것을 드디어 풀어놓기 시작했다.

"우주 괴물체가 지구로 오고 있다는 것을 믿고 있으니 여기까지 찾아오셨을 테고, 그때가 되면 지구에 머무르고 있는 이상 무슨 짓을 하든 결코 살아남을 수 없다는 사실도 당연히 알고 있을 테지요."

"물론, 그, 그렇죠."

창우는 며칠 전까지만 해도 방호용 지하 방공호를 만들어 대피한다거나, 탈것으로 도망을 한다거나 하는 대책을 세우고 있었기에, 방금 진성의 그 말에 대한 대답에는 양심의 가책을 느꼈다. 그리고 진성은 담담하게 계속해서 말을 이었다.

"저기…. 안에 처 기계장치는 이 지구를 탈출할 수 있게 해주는 시스템의 일부입니다."

그 말을 들은 창우는 갑자기 온몸이 간지러워졌고, 눈이 촉촉해졌으며, 팔과 다리에 힘이 들어갔다. 어떤 희열에 대한 반응이 온몸에서 나타나고 있는 것이다. 어제부터 꼭 듣고 싶었던 그 말, 정말로 기대하고 있었던 대답, 그것을 이제야 듣게 되었다.

창우는 자신도 모르게 떨리는 목소리로 말했다.

"여, 역시, 그렇군요.“

지구를 탈출한다는 말만 창우의 머릿속에서 맴돌고 있던 탓에 다른 질문들을 꺼내지 못하고 있자, 진성이 그것을 대신 꺼내주듯 말을 이었다.

"그냥 지구만 떠나는 것이 아니라, 이 우주를 완전히 벗어나는 겁니다.“

그 말을 들은 창우는 순간 눈썹을 씰룩였고, 미간에 주름을 만든 채로 진성을 가만히 바라보았다. 그리고 자신이 잘못 들은 것인가 하여 고개를 갸우뚱하며 물었다.

"우주를 벗어난다고요? 그게 무슨 말인지….“

진성은 처음의 그것보다 절반 이하로 짧아져 있는 담배를 옆으로 휙 던지고는 그 물음에 응했다.

"저도 그 정확한 의미는 잘 몰라요. 형의 말로는 그렇다고 하니까, 저는 그냥 그렇게 이해하고 있을 뿐이죠. 지금 다가오는 괴물체로부터 탈출하는 계획은 형이 직접 짠 겁니다. 아, 형 혼자서 한 것은 아니지만요. 어쨌든 저 안의 기계 시스템 역시도 형이 주도하여 설계한 것이라, 저의 머리로는 형이 설명을 해줘도 이해하지 못해요. 저는 그저 형이 하기 어려운 일이나 자질구레한 심부름을 하죠.“

창우는 도진과 함께 하는 사람들이 누구인지 궁금했으나, 그것을 알아내는 것이 당장은 중요하지 않기에 일단 넘겼다. 그리고 진성은 계속해서 말을 이었다.

"그리고…. 'GEA15'에서 추진 중인 탈출자 명단에 포함되지 않았죠?"

"네, 그렇죠. 어?"

창우는 진성이 어떻게 'GEA'를 알고 있는지 궁금해졌지만, 순간 도진의 그 정도 재능이라면 충분히 알고도 남겠다는 생각이 들었다. 하지만 정확한 정보입수 경로가 궁금하여 물었다.

"그런데…. 그런 걸 어떻게 알고 있나요? 비밀리에 추진 중인 것이라 일반인들은 대부분 모르고 있을 텐데."

진성은 그 물음을 자랑하는 듯한 태도로 받았다.

"비밀이라…. 여러 사람이 참여하는 일에 비밀이 제대로 지켜질 리가 있을까요. 사실, 제가 그 인류 생존 프로젝트의 일원으로 참여했었습니다."

창우는 무척 놀란 듯 자신도 모르게 진성으로부터 한 걸음 뒷걸음질을 친 후, 눈썹을 치켜세우고는 입을 살짝 벌린 채 진성을 바라보았다.

"그, 그런데, 어째서 여기에 있는 거죠? 그 안에 들어가면 나올 수 없다고 들었는데…."

"그 말은 맞기도 하고, 틀리기도 합니다. 그 일이 진행되는 곳은 한군데가 아닙니다. 역할에 따라 시설이 여러 군데 분산되어 있어요. 게다가 지정된 호텔이나 가정집으로 위장한 숙소에서 지냅니다. 그냥 일반적인 직장인처럼 생활하는 거죠.

다만, 정해진 동선을 벗어날 수 없도록 보안 요원들이 통제합니다. 감시당하는 거죠. 일단 그 일에 참여하겠다고 계약을 하면 그동안 지낼 숙소와 일을 할 장소가 지정됩니다. 그 동선만 왔다 갔다 하며 지내는데, 움직임은 물론이거니와 개인정보기기나 한마디의 말까지 모든 것을 감시당하니 자신이 알고 있는 것을 함부로 발설하지 못하는 거죠.

만약 계약사항을 어긴다거나 근무지를 이탈하면, 잡혀서 감금당하거나 그 이상의 괴로운 일이 벌어집니다."

"그런데, 지금 여긴 근무 지역이 아닐 테고, 이렇게 와 있어도 되는 건가요? 추적당할 텐데."

"하하하. 저는 완전히 탈출했죠. 처음부터 거기서 일을 할 생각이 없었어요. 진작에 형과 짜고, 그 일이 어떻게 진행되는지 알아본 후 감시망을 벗어났죠. 형에게 이 정도 일은 식은 죽 먹기보다 더 쉬우니까요.

그들은 제가 어디에 있는지 모릅니다. 알았으면 전 한참 전에 이미 잡혀서 감금되었거나 그들의 방식대로 짓밟혔겠죠. 일반적으로는 위치가 탄로 나면 무조건 그들에게 잡힌다고 봐야 해요."

"아…. 그렇군요. 그런데, 거기서 어떤 일을 했었는지…."

진성은 근육 대회 참가자처럼 자세를 잠시 취해 보이며 답했다. 그리고 창우는 그런 그의 몸을 위에서 아래로 빠르게 훑었다.

"탈출선이라고 칭하는 우주선의 승무원이었습니다. 기체에 문제가 생길 때 즉시 대응하는 일을 하는 것이죠. 쉽게 말해, 그냥 몸 쓰는 일입니다."

"지하 방공호가 아니라…. 우주선이라고요? 아…. 그렇구나. 그런데, 그런 일에 어떻게 선정이 되었나요?"

"형이 제가 승무원으로 선택될 수 있도록 그들 몰래 손을 좀 썼죠. 그리고 제가 여러 가지로 몸 상태가 좋다 보니, 그럼에도 의심을 받지 않았던 듯싶네요. 그때 같은 부문에 입소한 사람들도 대부분 근육질이거나 날렵해서 몸을 잘 쓸 것 같이 보이는 몸매였거든요."

창우는 자신이 속한 회사에서 여럿이 차출되어 비밀기관으로 파견된 사실을 떠올렸다. 창우가 아는 그들은 결코 근육질이라거나 날렵한 몸매를 가진 자들은 아니다. 그래서 창우는 그 사실을 모른 척하고 진성에게 물었다.

"아⋯. 그렇다면, 프로젝트 참여자로 선정된 사람들은 대부분 진성 씨처럼 신체조건이 좋은 사람들이었나요?"

"분야와 역할에 따라 다르죠. 연구 기술 분야는 공부 많이 한 공학 계열 전문가들이 모이고, 보안 분야는 지능이 높고 민첩한 사람들이, 탈출선 운용에는 기본적으로 우수한 체력과 힘이 좋은 사람을 선정하고요. 그 외에도 다양한 부문이 있었습니다."

"그렇다면, 스태프가 아니라 일반 생존자로 선정된 사람도 있을 텐데, 그들은 아마 부자이거나 권력이 있거나, 그렇겠죠?"

"아니요. 그렇지만은 않아요. 일단, 지금 인간 세상에서 벌어지는 일 중에서 개인이 가진 재물이 가장 힘을 못 쓰는 일입니다. 각국 정부 연합에서 GEA에 막대한 세금을 쏟아붓고 있는데, 연관도 없는 한 개인이 부자라고 해서 거기에 돈을 보태봤자 잔돈 수준일 테니 유리한 위치에 서는 것은 아니죠.

우주선에 탑승하는 순간부터 개인소유 재산이라는 것은 의미가 없어져요. 당연하잖아요. 우주선 안에서는 개인이 생산활동을 할

수가 없으니, 교환 수단인 금전이 무슨 소용이겠어요. 그냥 금속이
고 종잇조각이지.

게다가 그 계획은 전 세계의 정부가 공조하여 진행 중인데, 말
이 좋아 공조지, 사실 몇몇 강대국에서 주도하는 프로젝트입니다.
모든 결정과 승인은 해외에 있는 본부에서 판단하거든요. 그래서
아무리 돈을 쓰고 인맥을 동원해도 조건 미달이라면 승인을 받기
어렵습니다. 그러니 최소한 국내에서는 돈도, 권력도 소용이 없다
는 거죠.

그런데, 민간 생존자 후보는 일단, 몸이 마르거나, 몸집이 작거
나, 기초대사량이 적은 사람을 우선으로 검토하는 듯했습니다."

"그건 왜죠?"

"탈출선에 실을 수 있는 사람과 물건은 한정적이고, 지구를 벗어
나면 그때부터는 식량 섭취를 최소화해야 하니까요. 많이 먹어야
하는 사람보다 적게 먹는 사람들로 채울 수밖에 없죠. 그리고 그런
사람 중에서 성격이 유순한 사람들로 다시 가립니다. 좁아터진 공
간 안에서 말썽이 일어나면 골치 아프니까요."

"아, 말 그대로 생존을 위한 조건이 우선이군요."

"그렇죠. 그 기본적인 1차 조건을 만족하는 사람 중에서 몇 가
지 조건을 더해 세밀하게 추려내는 거죠. 어쨌든 계획은 참 거창하
게 세워졌더군요."

"그렇군요."

창우는 진성의 이 이야기도 도움이 되었지만, 그것보다 지금 이
곳에서 진행되는 일이 더 궁금했다. 그래서 그는 바짝 말라버린 입

술을 혀로 문지른 후 진성에게 그것에 대한 몇 가지를 물었다. 하지만 진성은 그 질문들에 대한 답은 회피했다.

"형이 하는 일에 대해서는 저도 구체적으로 알지 못합니다. 그 외에 제가 아는 것은 괴물체가 2달 뒤 지구에 초근접 한다는 것과, 생존하기 위해서는 그날이 올 때까지 형이 시키는 대로 말하고 행동해야 한다는 것. 그리고 이곳을 지켜야 한다는 것 정도죠."

그 말을 들은 창우는 놀란 듯 눈을 크게 뜨며 말했다.

"잠깐만요. 2개월 후에…. 그 천체가 지구에 도착한다고요?"

진성은 그저 고개만 가만히 끄덕였다.

"정확한 날짜는요?"

"그건 알 수 없어요. GEA도 그렇고, 그 어떤 학자나 전문가도 지금은 정확하게 예측할 수 없을 겁니다. 그러니, 다들 조급하게 일을 진행하고 있는 거죠.

형의 얘기로는, 괴물체는 일반적인 소행성이나 혜성 같은 게 아니라서 속도가 일정하지 않고, 진로 역시도 상식을 따르지 않는다더군요. 다만, 무질서 속에 질서가 있다고, 어느 정도 일정한 움직임 패턴이 있다는 것이 발견되었는데, 그것을 고려하면 지금부터 대략 2개월 후가 될 거라는군요. 그리고 정확한 날짜와 시간은 충돌 일보 직전에야 알 수 있다고 했습니다."

창우는 그것의 속도와 진로가 일정하지 않다는 사실은 이미 알고 있어 놀랄 것 없었지만, 생각보다 훨씬 더 일찍 그날이 다가오고 있다는 사실에 충격을 받아 더는 말을 잇지 못했다.

잠시 정적이 흘렀고, 그 사이 진성은 자신이 알고 있는 것은 다 알려줬다는 듯 들고 있던 종이컵을 구겨 쥐고는 몸을 건물 쪽으로 돌렸다. 그러고는 열린 문을 지나 다시 안으로 들어갔다.

긴장된 상태로 잠시 가만히 서서 머무르던 창우 역시도 곧 건물 안으로 들어갔다. 그리고 이내, 여전히 모니터와 기계 구조물 앞에 몸을 파묻고 무언가에 열중하는 도진을 볼 수 있었다. 창우는 그런 그를 가만히 지켜본 후, 무언가 결심했다는 듯 어깨를 들썩이며 도진에게 다가갔다.

"도진, 많이 바쁜가 보네."

도진은 자신에게 말을 거는 사람을 쳐다보지도 않고, 잠시 뜸을 들인 후 고개만 가만히 끄덕였다. 심지어 그 끄덕임조차 움직임이 적어서 과연 상대의 말에 반응한 것이 맞는지 긴가민가할 정도였다. 그의 그런 언행은 누가 봐도 무례하다고 느낄만한 것이다. 그저 무언가 일에 열중해서인지, 아니면 창우를 무시하는 것인지 도무지 알 수 없는 태도였다.

창우는 다시 입을 닫고 그런 그의 행동을 가만히 지켜보았다.

'저 녀석이 나에게 단순히 호의를 베풀기 위해 이곳으로 나를 이끈 거라면, 아무리 소싯적에 따돌림을 당했거나 그로 인해 대인기피증이 생겼다고 해도 저런 태도가 나올 리는 없어. 즉, 방어적으로 대해야 할 뭇 사람들과 나를 똑같이 취급하고 있다는 건데….

그렇다면, 졸업식 날 굳이 나를 일부러 찾아와 이곳으로 오게 만든 건 분명 이것과 관련된 일에 내가 필요하기 때문일 거야. 그게 뭔지 모르겠지만 내가 이 일에 참여해야 하는 어떤 이유가 분명히 있을 것 같아.'

창우는 다시 혀로 자신의 입술을 한번 축이고는 바지 주머니에 두 손을 집어넣은 채, 자신의 연인에게나 할 만한 부드러운 어투를 써 도진에게 말했다.

"잠깐 시간 좀 낼 수 있어? 얘기 좀 하자. 나 이것저것 궁금한 게 많아."

그리고 예상했듯 도진은, 이번에도 창우 쪽으로는 눈길도 주지 않은 채로 답했다.

"나 바쁜데. 음…. 나중에."

그 나중이 언제가 될지 기약이 없다. 진성으로부터 이 일에 대해 어느 정도는 알게 되었지만, 오히려 그것이 그를 더 조급하게 만들었다. 그것은 마치 맛있게 끓여놓은 냄비 안의 라면을 한 젓가락만 먹고는 냄비의 뚜껑을 닫고, 그 안에 아직 남은 것은 먹지 못한 채 그저 냄비를 바라만 봐야 하는 것과 비슷한 심정이라고 할 수 있다. 그것은 꽤 힘든 일이다.

그래서 창우는 조금 전 계획한 대로 갑자기 태도를 바꿔, 조금은 화가 난 듯 건방진 말투와 강한 어조를 섞어 그를 향해 말했다. 물론 그것은 진심에서 우러나온 언행이 아닌, 단지 연기를 하는 것이다.

"이것 봐, 차도진. 너한테 생명을 구걸하고 싶은 생각 없어. 난 네가 알려준 대로 여기 이곳에 왔을 뿐이야. 그렇다면, 최소한 지금 뭐가 어떻게 되어가고 있는지, 저 기계가 정확히 뭔지, 그리고 네가 왜 날 여기로 불렀는지 정도는 진작에 얘기를 해줬어야 하는 것 아닐까? 네가 이런 식으로 나를 무시할 거면 차라리 내 나름의 생존 방법을 찾아보는 게 낫겠네. 난 이만 갈 테니 열심히 해보셔.

아, 그리고, 이 장소가 그때까지 비밀리에 유지되어야 할 텐데 그게 잘 될지 의문이긴 하네. 뭐, 내가 이곳을 떠벌리겠다는 말은 아니고, 그저 걱정이 좀 되어서. 잘 해봐. 그럼 이만."

창우는 진심에서 우러나온 말이 아님에 억지스럽게 연기하는 것이 어색했지만, 애써 화난 표정을 짓고는 도진을 등졌다. 그리고 과연 자신이 던진 주사위에 원하는 숫자가 나올지 긴장하며 몇 걸음을 걸었을 때, 도진의 목소리가 들렸다.

"잠깐만!"

창우는 자신이 원하는 주사위의 숫자가 나온 것에 기뻐했지만, 그것에 대한 표현을 애써 숨긴 채 그의 말을 받았다.

"뭐냐? 나도 바쁘니까 할 말 있으면 빨리해."

짧은 한마디의 말로 창우의 걸음을 세운 도진은, 입술을 오물거리며 약 5초 정도 뜸을 들인 후 다시 입을 열었다.

"내가 계획하고 있는 일, 다 말해줄 테니…. 여기 앉아."

그 순간 창우는 누구에게나, 그리고 언제나 그랬듯 웃는 낯으로 다가가 그를 향해 귀를 열고 싶었지만, 지금의 전략을 조금 더 유지하기로 하고는 몸을 돌렸다. 그러고는 도진의 옆에 비어있던 의자에 터벅터벅 걸어가 앉아 등받이에 몸을 깊숙이 기댄 채 건방진 태도로, 도진을 향해 들을 준비가 되었다는 것을 표했다.

그런 창우의 모습의 본 도진은, 마치 직선으로 잘 뻗어 나가던 레일 위의 볼링공이 갑자기 도랑으로 꺾이는 것을 본 것처럼 당황스러운 표정을 감추지 못했다. 그리고 그는 창우로부터 시선을 살짝 돌려, 그를 똑바로 바라보지 않은 채 느릿하게 말을 하기 시작했다.

"밖에서 동생에게 어디까지 들었어?"

지금까지 창우에게 전혀 무관심한 듯 행동하던 도진이, 의외로 그 상황까지 예의주시하고 있던 것 같았다.

창우는 흥미로운 이야기가 시작된다는 기대감에 잠시 억지스럽게 연기하던 태도와 말투를 버리고, 원래의 그로 순식간에 되돌아갔다. 얼굴에는 미소를 띠었으며, 목소리의 톤은 높아졌고, 등받이에 기대고 있던 등을 떼고 상체를 어느 정도 곧게 세웠다. 그러고는 상대의 물음에 응했다.

"약 2개월 후에 이상한 천체가 지구에 닿는다는 것과 옆에 있는 저 기계가 우리를 이 지구로부터 탈출시킨다는 것. 아, 그리고, 그렇게 되면 다른 우주로 가게 된다는 것 정도. 이왕 이렇게 되었으니 숨기지 말고 내가 알아야 할 것들을 다 말해줘. 그러면 내가 필요한 부분에 대해서 최선을 다할 테고, 이곳과 너의 계획에 대해서 그 누구에게도 발설하지 않을 테니까."

창우는 도진의 동생인 진성에게 들었던, 그가 대인기피증이나 혐오증이 있다거나 그것이 생기게 된 계기에 대해서는 전혀 언급하지 않았다.

그런데, 창우의 그 말을 들은 도진은 왜인지 무언가 안심이 된다는 듯 가벼운 한숨을 내쉬었고, 풀리지 않던 수학 문제를 푼 것 같은 표정을 지었다.

"필요한 부분에 최선을 다한다는 말. 그 약속 제대로 시킬 수 있어?"

창우는 기껏해야 저 기계장치의 제작을 도운다거나, 또는 그와 관련된 어떤 허드렛일 정도일 것이라 여기고는 그러겠다고 답했다. 그러자 도진은 말을 이었다.

"좋아. 일단…. 너는 너무 일찍 여기로 왔어. 조만간 그 괴물체가 지구와 충돌하게 될 예상일이 세상에 공개될 거야. 세계의 각 공신력 있는 기관들로부터 동시에 배포가 될 공식적인 진짜 정보이지. 그리고 그것은 생존 준비를 마친 자들의 대중을 향한 작은 배려쯤이 될 것이야.

대충은 알고 있겠지만, 지금 다가오는 괴물은 소행성이나 혜성 같은 게 아니야. 말 그대로 괴물체야. 그래서 현재로서는 예상일을 점치는 것은 의미가 없어. 우리 역시도 정확한 날짜는 맨눈으로 관찰이 가능할 정도가 되어야 알 수 있으니까.

나는 그때가 되어서야 네가 여기로 올 거로 생각했거든. 너무 일찍 와버려서, 나로선 이 비밀 프로젝트의 탄로에 대해 걱정을 하지 않을 수가 없어. 물론, 네가 소문을 내고 다닐 거라는 말은 아니지만…."

도진은 어눌함이 전혀 느껴지지 않는 유창하며, 정확한 발음과 어투를 구사했다. 이런 그가 사람들과 언어적 소통을 계속해서 거부해 왔다는 것은, 그만큼 대인기피증이 심하다는 방증이다. 창우는 그런 도진을 마치 신기한 물건이나 동물이라도 본 것과 같은 눈빛으로 바라보았다.

도진은 계속해서 말을 이었다.

"어쨌든 한동안은 네가 이곳에서 해야 할 일이 전혀 없어."

단순히 학창 시절에 그에게 주었던 가벼운 친절에 대한 호의가 아니라면, 일손이 필요해서 자신을 이곳으로 찾아오게 했을 것이라고 생각을 한 창우는 그의 그 말에 의아함을 느끼지 않을 수 없었다. 그래서 고개를 돌려 옆에 있던 기대한 기계 구조물과 기기에 덕지덕지 붙어 있는 복잡한 전기 장치들을 천천히 훑어보고는 물었다.

"그건 그렇고, 내가 해야 할 일이라는 게 도대체, 구체적으로 뭐야?"

도진은 그 물음에 즉시 답을 하지 못하고 머뭇거렸다. 하지만 이내 조금은 강한 어조로 답을 했다.

"지금 단계에서는 굳이 알 필요가 없어. 필요한 때가 되면 그때 알려줄 거야. 그건 아주 중요한 일이면서, 네가 잘할 수 있는 일이야."

창우는 그것이 어떤 일인지 궁금하긴 하였지만, 다가오는 괴물체로부터 생존할 수 있는 일에 참여한다는 것 자체를 더 크게 생각하여 대수롭지 않게 여기고는 다른 질문을 이어나갔다.

"그런데 만약 이 시설물과 너의 계획이 누군가에 의해 탄로 난다면, 그때는 어떻게 되는 건데?"

"어떻게 될지 정도는 너도 잘 알잖아. 결국, 엉망이 되겠지. 하지만, 그에 대한 대비도 어느 정도는 되어있어."

"대비? 어떻게 한다는 건데?"

그 물음에 도진은 고개를 오른쪽으로 살짝 기울이고는 눈을 게

106

슴츠레하게 뜨며 말했다.

"그것에 대한 것은 너에게 알려줄 수 없어. 극도의 보안 사항이 니까."

그러고는 자신의 오른손으로 짜증스럽다는 듯 두피를 긁으며 고개를 아래로 푹 숙인 채 혼잣말을 중얼거렸다. 하지만 혼잣말치고는 목소리가 컸다.

"흐음…. 이 시점에 여길 오면 안 되는 건데. 너무 일찍 왔어."

그렇게 도진은 다시 한번, 창우가 자신의 계획보다 일찍 이 장소에 도착한 것에 대해 소극적이면서도 간접적으로 불쾌감을 드러냈다. 그것은 원하는 바를 정확하게 상대에게 밝히지 않은 도진 자신의 실수였기 때문에, 어쩌면 자신을 스스로 탓하는 중일지도 모른다.

의도야 어떻든 그런 그의 말에 창우는 기분이 조금은 나빴지만, 그에 대해 반발할 수는 없었다. 감히 그 어떤 것과도 비교할 수 없는, 생존 프로젝트라는 거대한 계획을 진행하고 있는 그로서는 당연히 그럴 수 있겠다는 생각이 들었기 때문이다.

창우는 의자에 앉은 채 상체와 고개를 돌려, 다시 한번 거대하고 복잡한 부품들이 얽힌 그 기계를 보며 물었다.

"그건 그렇고, 우주를 벗어난다는 게 정확히 어떤 의미지?"

아직도 고개를 숙이고 손으로 자신의 두피를 긁고 있던 도진은, 천천히 고개를 들며 입을 열었다.

"지금 세계 국가들이 비밀리에 공조하여 하는 일, 지구 탈출용 우주 비행선. 그게 제대로 만들어진다면 잠깐은 생존할 수 있겠지.

하지만, 그럴듯한 우주 비행선을 많이 만들기에는 시간적 한계가 있어.

초반에는 달이나 화성으로 간다는 말도 나왔다고 하는데, 지구가 망가지는 상황에서는 지축과 지자기 변화로 인해 달에도 영향을 주겠지. 그래서 달로 가는 것은 의미가 없을 테고, 화성까지는 아마도 내가 알고 있는 그 설계대로라면 불가능에 가까울 거야. 여러 가지 조건들이 당장은 맞지 않아.

머리 좋은 사람들이 모여서 하는 일이니 기술이라거나 계획은 그럴듯해도 준비할 시간이 너무 짧고, 아직 그 정도까지 가능할 만한 기술적 경험이 축적되지 않았어. 실전경험 무시하고 이론만으로 운 좋게 다른 행성까지 무사히 갔다고 쳐. 가서 그다음은? 물은? 식량은? 당장으로서는 한계가 명확해.

그들도 그걸 모르지 않으니, 일단은 온갖 광물과 식량 등을 최대한 우주선에 채워서 당분간 우주 공간에 둥둥 떠서 지내겠다는 계획까지만 세워뒀나 봐."

"그렇다면, 네가 계획하고 있는 방법으로는 그 문제점을 다 해결할 수 있다는 거야? 생존에 필요한 모든 인프라가 갖춰진 곳으로 갈 수 있는 거냐고."

그러자 도진은 조금은 섬뜩한 미소를 잠시 보이고는, 그저 평온한 목소리로 간단하게 답했다.

"아주 오래도록 살아남을 수 있어."

질문에 대한 직접적인 대답은 아니었지만, 그 말에 창우는 순간 몸을 떨었다. 도진의 담담하면서도 자신감이 녹아있는 그 말 한마디에서 거부할 수 없는 믿음이 느껴졌다. 다가오는 거대한 위협에서 분명히 생존할 수 있으리라는 것을 마음에 새기는 순간이다.

하지만 아직 자신의 물음에 대한 정확한 답을 듣지 못했기에 재차 물었다.

"우주를 벗어난다는 의미는….“

"다른 우주로 간다는 거야.“

"다른…. 우주? 그게 무슨….“

"우주를 공간이라는 개념에 빗대어 설명하자면, 우리가 속해 있는 이러한 우주 공간은 하나가 아니야. 셀 수 없을 정도로 많아. 항성, 행성, 별, 은하, 이런 것을 말하는 게 아니야. 우리 우주라는 이 공간에서 완전히 벗어나 다른 우주 공간으로 간다는 것이지.“

창우는 그 말을 이해해보려 애를 쓰는 듯 표정을 찌푸리고 고개를 갸웃거렸다. 그러자 그 모습을 본 도진은 갑자기 벌떡 일어나, 덤덤한 표정으로 잠시 어딘가로 가더니 낡은 화이트보드 하나를 끌고 왔다. 그리고 거기에 쓰여 있던 글자들을 모두 지우고, 왼손을 자신의 바지 주머니에 쑤셔 넣은 채 창우를 마주 보며 섰다. 그리고는, 자신의 두뇌와 지식수준은 특별하다는 의미를 간접적으로 내비치듯 말했다.

"뭐, 평범한 사람들은 이해를 못 하는 게 당연하겠지. 예를 들어, 여기 개인용 컴퓨터가 여러 대 있어.“

창우 역시도 국내 최고의 민간기업 연구소에서 다양한 프로젝트에 참여하고 대부분은 실패 없이 성공시킨, 국가적으로 봤을 때는 분명 과학 기술 인재이나, 지금의 도진 앞에서는 그저 알아야 할 것이 많은 평범한 학생쯤으로 취급당하고 있다.

도진은 개인용 컴퓨터 모양의 그림을 여러 개 그렸다. 그림 실력은 그의 공학적 재능에 반비례하는지, 그가 입으로 설명해주지 않았다면 그 누구도 그 그림이 컴퓨터라는 것을 알아보지 못했을 것이다.

그는 왼쪽에서 오른쪽으로 나란히 그린 여러 개의 컴퓨터 그림 중, 가장 왼쪽에 있는 그림 위에 동그라미를 친 후 봇물 터진 듯 말을 이었다.

"이 컴퓨터를 우리가 속해 있는 우주라고 가정을 해보자. 이 컴퓨터 안에는 수많은 하드웨어 부품들이 있고, 소프트웨어가 설치되어 있겠지. CPU가 있고, 메모리도 있고, 그리고 그런 하드웨어가 프로그래밍 툴, 그래픽 편집기, 계산기, 문서 편집기와 같은 소프트웨어를 작동하도록 해주고 있고 말이야.

도진은 첨단 공학 제품을 연구하는 창우에게 굳이 기초적인 설명을 붙였다.

"그렇다면 이 컴퓨터 안에서 작동하는 어떤 프로그램이 있다고 가정해보자. 이해하기 쉽게…. 음…. 그렇지."

도진은 방금의 그 컴퓨터 그림 안에 '태양계'라고 적고는 그 위에 다시 동그라미를 쳤다.

"이 태양계라는 프로그램 안에는 각각의 기능을 하는 태양, 목성, 화성, 지구라는 프로세스가 작동하고 있겠지. 그리고 지구라는 프로세스 안에는 물질로 이루어진 생명체라는 코드들이 유기적으로 섞여 있을 테고."

창우는 도대체 무슨 말인지 모르겠다는 듯 두 팔로 팔짱을 낀 채 멍하니 화이트보드만 바라보고 있다. 그리고, 도진은 왜인지 그런 창우를 어떻게든 이해를 시키겠다는 의지를 보이며 급히 말을 이어갔다.

"그런데, 지구라는 프로세스에 외부의 요인으로 인한 문제가 생길 조심이 보여. 그렇다면 일단 그와 연관된 데이터를 분리된 다른 메모리로 이동을 시키면 되겠지."

도진은 동그라미가 처져 있는 컴퓨터 그림을 손가락으로 두드리며 말을 이었다.

"그런데 이 컴퓨터 안에서 제어와 접근을 할 수 있는 다른 메모리들은 문제가 생길 조심이 보이는 데이터를 수용할 수 없어. 형식이 다르다거나, 포화상태라거나 하는 여러 가지 이유로 말이야.

그렇다면, 아예 다른 컴퓨터를 찾아가는 건 어떨까. 컴퓨터 사용을 위한 운영체제가 준비되어 있고, 그 외에는 아무것도 설치되어 있지 않은 깨끗한 컴퓨터 말이야. 그곳에 사용 환경을 구축해서 문제가 생길 조심이 데이터, 모두는 아니겠지만 급하게나마 중요한 데이터 일부는 옮길 수 있지 않을까."

도진은 창우가 이 설명을 제대로 이해를 하고 있는지 확인하기 위해 그의 눈을 힐끗 보았다. 하지만 창우의 눈빛은 여전히, 도무지 풀리지 않는 수학 문제를 푸는 것처럼 눈만 껌벅댔다. 하지만 상대가 이토록 열심히, 특히 과묵한 성격의 도진이 이렇게 말을 많이 하는 것에 어떤 반응을 해줘야 할 것 같다는 강박을 느낀 창우는 억지로 뭔가를 말하려 입을 열었다.

"이해는 안 되지만, 어느 정도는 무슨 말인지 이해가 되었어."

심사숙고 끝에 기껏 내뱉은 말은 겨우 짜 맞춘 모순적인 문장이다.

"그러니까…. 이 우주가 아닌, 새로운 우주로 간다는 거잖아. 그게 그러니까, 음…."

역시, 창우는 도진의 말을 이해하지 못했다.

도진은 그럴 줄 알았다는 듯 표정의 변화 없이, 창우로부터 시선을 살짝 돌리며 설명을 이어나갔다.

"내가 계획하고 있는 그곳에 가면 여기의 태양은 물론이거니와 태양계 행성들, 지구도, 지금 우리가 보는 밤하늘의 별도 없을 거야. 완전히 새로운 곳이거든. 유토피아라고 해두자. 아무것도 없는 깨끗한 맨바닥에 블록을 쌓듯이 그곳을 터전으로 만드는 거야. 우주 시스템의 운영권을 얻어서 말이야."

창우는 그 말을 곱씹듯 잠시 눈동자를 아래로 향한 채 가만히 있다가 입을 열었다.

"이상한데. 태양도, 지구와 같은 행성도 없다니. 그런 곳에서 인간이 생존할 수 있어? 우린 생존을 위해 그곳으로 떠나는 거잖아. 태양도, 공기도, 바다도, 물도, 다양한 생물도 없다면 어떻게 생존을 해?"

"그것은 구체적으로 설명하기는 어려워. 지금과 똑같은 환경은 아니지만, 어쨌든 생존할 수 있는 곳이야. 나는 그동안 내가 만든 차원 시뮬레이터를 통해 다른 차원에 있는 무수한 우주를 찾아 헤맸어. 그리고 우리가 머무는 이 우주와 매우 유사한 우주와 그 안에 있는 생명 활동이 가능한 수많은 별을 발견했지. 심지어 지구와 똑같은 행성도 있었어."

"잠깐만. 그렇다면 그 다른 우주의 행성이나 별 중 하나에 정착하면 되잖아. 지구와 똑같은 곳도 있었다면서. 그런데 어째서 굳이 텅 빈 곳을 찾아간다는 거야?"

"나도 처음에는 그런 생각을 했었어. 다른 차원에 있는 지구를 찾아가는 것. 하지만, 몇 가지 실험에서 그건 불가능하다는 것을 알게 되었지."

"불가능? 어떤 문제가 있었길래."

"생명체는커녕 지금 이 지구에 있는 나사못 하나라도 다른 차원의 이미 만들어진 지구로 가게 되면, 그 구성물질의 구조가 달라져서 정상적이지 않은 형태가 되어버려. 쉽게 말해서 전체 우주를 총괄하는 '대 시스템'이 그것을 정상적이지 않은 데이터로 판단해 그 침입을 막아버리는 것이지. 물론 가능한 방법은 있어. 그러지 않기 위해서는 우주 시스템을 속일 방법을 써야 하는데, 그건 더 어렵고 난해한 기술이 들어가야 하고, 결정적으로 위험하다는 결론이 나왔어."

창우는 그 말에, 자신도 모르게 다시 한번 몸을 떨었다.

"어쨌든, 수없이 많은 시뮬레이션을 통해 알아낸 것은, 이미 적절한 환경이 조성된 우주 속의 행성이나 별로는 갈 수가 없다는 거야. 그래서 찾아낸 것이…."

도진은 화이트보드의 가장 오른쪽에 그려놓은 컴퓨터 그림으로 가, 그것을 손가락으로 툭툭 치며 말했다.

"하드웨어는 갖춰져 있지만, 아직 프로그램이나 데이터가 생성되지 않은 깨끗한 우주. 나는 새로운 터전으로 만들 수 있는 어떤 우주가 있다는 것을 결국 알아냈어."

"깨끗하다…? 너는 각국의 정부가 공조하여 추진 중인 생존계획을 부정하고 있잖아. 여러 가지 생존 인프라의 부족이나 부재 등의 이유로 말이야. 하지만, 너의 말을 들었을 때는, 네가 생각하고 있는 그것이 더 비현실적이고 생존에 적합하지 않아. 도대체, 어떻게 인프라가 갖춰지지 않은 곳에서 오랫동안 살아갈 수 있다는 것인지 도무지 이해할 수가 없어."

도진은 그 물음에 기분 나쁜 미소를 잠시 짓고는, 자신의 고불거리는 긴 머리카락을 이마로부터 뒤로 쓸며 말했다.

"가보면 알게 될 거야. 지금으로서는 아무리 설명해도 네가 이해하지 못해. 알아봤자 마음만 심란해지고, 의문이 더 생길 테니까. 조급해하지 말고 기다려. 곧 알게 될 거야."

도진의 표정을 보았을 때, 창우의 그 물음이 귀찮다거나 비밀이라서 숨기는 이유는 아닌 것 같다. 창우는 도진의 그 설명을 들으며, 돌진해오는 산짐승들을 피해 안전한 나무 위로 올라간 것과 같은 어떤 희열을 순간순간 느꼈으나, 한편으로는 장대비가 쏟아지는 출근길에 젖은 신발과 양말을 그대로 신고 온종일 사무실에서 근무하는 것과 같은 찜찜한 기분을 느꼈다.

하지만 지금으로서는 곧 닥칠 위기에 기댈 수 있는 가시적인 지푸라기는 도진이 가지고 있는 해법이 전부라고 할 수 있으므로, 자신의 감정 따위는 공중으로 날려버릴 수밖에 없다. 물론, 그가 속해 있는 생존클럽에서 진행 중인 대책이 있긴 하지만, 그것은 지금 듣고 있는 계획에 비하면 한낱 애들 장난 수준에 불과하고, 창우는 자신도 모르게 그것을 절실히 깨달았다.

창우가 시선을 내린 채 잠시 생각을 하는 사이, 도진은 어느샌 가 자리를 떠나고 없었다. 창우가 그것을 알아챈 데는 약 2분이라 는 시간이 흐른 후였다. 창우의 곁을 조용히 떠난 도진은 자신의 동생인 진성과 잠깐 대화를 나누고는, 다시 기계와 연결된 모니터 앞에 앉아 무언가를 하기 시작했다.

지금 이곳에서 자신이 해야 할 일은 아무것도 없기에 조금은 무 안해진 창우는, 그들의 모습과 기계 곳곳, 그리고 그 공간 구석구 석을 살폈다. 그러던 중, 아직 해결하지 못한 궁금증 하나가 떠올 랐다. 그것은 어제 잠을 청한 자리에 있던 침낭이다. 분명 자신을 제외한 이곳에서 머무르고 있는 사람은 두 명인데, 침낭은 다섯 개 이다.

진성이 어젯밤 이곳에 도착했을 때 자신의 침낭을 창우가 쓰고 있었다고 말을 한 것으로 봐서는, 나머지 세 개의 침낭이 여분은 아니라는 의미이다, 그리고 창우가 생각보다 일찍 이곳으로 왔다고 불만을 나타내던 도진의 태도로 보았을 때, 그들이 창우를 위해 미 리 마련해둔 것은 아닌 게 분명하다. 즉, 나머지 세 개의 침낭 주 인은 따로 있다.

이들과 함께 이 거대한 프로젝트에 참여하고 있는 나머지 세 명 이 누구인지 창우의 궁금증이 다시 발동하였으나, 자신들의 일에 열중하고 있는 그들에게, 그리고 이미 자신의 궁금증을 해소해 주느라 시간을 할애한 도진에게 또다시 질문을 던지기가 조심스러웠다.

그리고 사실, 지금 이 공간에 보이지 않는 그 세 명이 누구인지 몰라도 지금으로서는 크게 상관이 없다. 어쨌든 창우는 도진의 탈출 계획에 참여하는 것이 확정되었고, 게다가 자신의 주변인들까지 모두 생존의 길이 열릴 것이기 때문이다.

창우는 무언가에 몰두하고 있는 도진에게로 갔다.

"저기, 난 이만 다시 서울로 가봐야겠다."

도진은 창우 쪽으로는 시선을 돌리지 않은 채 고개만 아주 미세하게 끄덕였다. 창우는 조금 전의 대화로 인해 자신을 향한 도진의 말문이 트였을 것으로 생각했으나, 오판이었다. 도진은 다시 그 이전의 모습으로 완전하게 되돌아가 있었다.

창우가 몸을 돌려 한 발을 떼었을 때, 갑자기 도진의 나지막한 목소리가 들려왔다.

"비밀은 꼭 지켜. 누구에게라도, 이곳에 대해 절대로 발설해서는 안 돼."

그 말투와 목소리는 협박이나 강요가 아닌, 부탁하는 뉘앙스였다.

"응. 물론이지."

순간 창우의 머릿속에는 자신의 가족과 연인의 모습이 빠르게 떠올랐다. 사실, 그는 이 대단한 사실을 주변인들에게 조용히 알릴 생각이었다. 물론 입단속은 시키겠지만, 소문이 퍼지는 것은 순식간이라는 간단한 사회적 진리조차 떠오르지 않을 정도로 기대감과 흥분감에 휩싸여 있었기 때문이다.

창우는 이제부터 가족과 연인은 물론이거니와, 함께 생존하기로 한 모임의 구성원들에게까지 이 사실을 숨기고 지내야 한다. 최소한 도진이 허락하거나 이 계획이 실행에 옮겨질 때까지. 그때까지 창우의 주변인들이 마음과 몸 고생을 하겠지만, 어쩔 수 없다고 다짐을 하듯 그는 입술을 깨물었다.

잠시 후, 전원이 켜진 창우의 자동차는 천천히 그 공장 건물을 빠져나와 그의 집이 있는 서울로 향하기 시작했다.

비밀의 발설

도진을 만나고 온 지 3일 후, 창우는 회사에 사직서를 냈다. 물론 사직 사유를 '괴물체가 지구로 다가오기 때문'이라고 적어내지는 않았다. 갑작스러운 사직에 주변 동료들이 의아해하긴 하였으나, 그저 휴식을 취하기 위함이라는 말에는 충분히 수긍하였다. 대다수 그들도 그것을 원하고 있기 때문이다. 다만, 괴물체가 조만간 지구와 충돌하리라는 것을 알고 있고, 믿고 있는 회사 내 사람 중 일부는 창우의 사직 사유를 눈치채고, 그것에 자극을 받아 그들 역시도 줄줄이 사직서를 제출했다.

창우는 이른바 '생존클럽'에는 꼬박꼬박 참석했다. 물론 그의 연인인 예은도 함께였다. 그곳에서는 이전의 회의에서 결정된 대로, 모임의 구성원들은 각자가 맡은 역할을 하기 위해 분주하다. 누군가는 손 빠르게 에어카와 장갑차 등의 설계를 마치고 제작에 들어가기 시작했고, 누군가는 각종 식량과 생필품의 목록을 검토하고 세심하게 포장을 하고 있으며, 또 누군가는 정보를 입수하기 위해 동분서주하며 위험을 감수하고 있다.

하지만, 지금의 창우는 그들과는 다른 생각과 행동을 하는 중이다. 그는 자신이 맡은 일을 하는 둥 마는 둥 성의가 없고, 그저 이 모임에서 누구와 함께 이 지구를 떠날 것인지에 대한 고민을 하거나 자신이 가진 비밀을 발설하고 싶다는 욕구를 참는 것이 전부이다.

그런 그의 모습을 예은이 이상하게 생각하지 않을 수 없다. 그렇게 며칠이 더 흐른 후에도 창우의 행동이 조금은 이상하다는 것을 의아하게 생각한 예은은, 마침 모임 장소에 일찍 도착하여 여유가 있었기에 그 의문점에 대해 말을 꺼냈다.

"오빠, 혹시, 지금 이 일에 대해 회의적이야?"

뜬금없이 그 말을 들은 창우는 무표정하게 예은을 바라보며 되물었다.

"그게 무슨 말이야?"

"언젠가부터 오빠의 분위기가, 뭔가 침체되어 있는 것 같아서. 얼마 전까지만 해도 이 일을 주도하고 활기가 넘쳤던 사람이 지금은 그렇지 않아 보이니까, 이상하잖아."

창우는 자신이 가진 비밀을 알리고 싶다는 욕구를 감추기 위해 입을 꾹 다물고는 시선을 다른 곳으로 돌렸다. 그렇게 잠시 뜸을 들인 후 예은에게 말했다.

"그런 거 아냐. 그냥 생각할 게 좀 있어서 그래."

그 대답을 들은 예은은 오히려 추궁하듯 물었다.

"무슨 생각? 어떤 고민이라도 있는 거야? 뭐야? 말해줘."

"그게…."

창우는 예은의 얼굴을 지긋이 바라보더니, 뭔가 결심을 했다는 표정을 잠시 지어 보이며 예은의 귀에다 대고 조용히 말했다."

"여기선 말할 수 없고, 잠깐 나와봐."

그의 말에 예은은 창우와 함께 그 주택의 옥상으로 올라갔다. 그리고 창우는 주변을 몇 번 두리번거리고는 예은의 몸에 바짝 붙어 말을 하기 시작했다.

"사실…. 현재의 이 방법으로는 살아남을 확률이 거의 없을 것 같아."

"그건 다들 어느 정도는 알고 있는 거잖아. 그래서 이렇게 지푸라기라도 잡으려 하는 거고."

예은은 창우의 팔을 자신의 손으로 감싸 쥐며 말을 이었다.

"역시 그거였어? 음…. 좋게 생각하자. 언제나 낙천적인 게 오빠의 특기이자 강점이잖아. 그렇게 손 놓고 있으면 눈앞에 있는 지푸라기조차 멀어져 버려. 팔을 힘껏 휘저어 뭐라도 잡으면, 어쩌면 살아남을 수도 있잖아."

"아니, 그런 의미가 아니라…. 저런 방법이 아닌, 다른 방법을 써야 해."

"응? 다른 방법? 더 좋은 아이디어가 떠오른 거야?"

창우는 다시 주변을 둘러본 후, 목소리를 작게 낮춰 속삭이듯 말을 이었다.

"내가 얼마 전에 말했던 차도진이라는 학교 동창 기억나지? 걔가 나에게 위기가 오면 보라고 메모지를 줬다고 했었잖아."

"응."

"그 메모지를 찾았고, 거기에는 어떤 장소의 좌표가 적혀 있었어. 그래서 얼마 전에, 거기에 적혀 있던 위치로 가 도진이를 만났어."

그 말이 끝나자 예은은 조금은 격앙된 듯 목소리를 높여 그에 응했다.

"정말? 그래서?"

그러자 창우는 손가락을 입에 가져다 대며 조용히 하라는 손짓을 취했다.

"예상대로, 도진이 뭔가 방법을 찾았어. 살아남을 방법 말이야. 지금 이 모임에서 하는 것과는 수준이 달라. 굉장한 거야."

창우는 도진을 만난 그곳에서 자신이 보았고, 들었던 것을 예은에게 빠짐없이 설명해주었다.

"그걸로 정말 되는 거야?"

"그 탈출기가 작동하는 것은 아직 못 보았어. 확실히 해두고 싶긴 했는데, 상황이…. 내가 마음대로 어떻게 해볼 수 있는 것이 아니라서."

창우는 도진이 제작한 기계 구조물을 스스로 '탈출기'라고 명명했다. 그리고 예은은 갑자기 어떤 감정이 북받쳤는지, 오른손으로 자신의 가슴 위에 손을 얹혀 눌렀고, 잠깐 가쁘게 숨을 쉬었다. 그

121

렇게 잠시 정적이 흐른 후 예은이 말했다.

"창우 오빠, 그럼, 사람들한테 그 얘기를 하자. 그게 사실이라면 우리 모두 살아남을 수 있는 거잖아."

그러자 창우는 단호한 표정으로 그 말에 응했다. 물론, 목소리는 여전히 낮춘 상태이다.

"안 돼. 그걸 말하면 소문이 퍼지는 건 한순간이야."

"그러면, 계속 숨길 거야?"

"그건 아니야. 때를 기다리자. 만약 소문이 퍼지고, 어떤 식으로든 그 위치가 발각된다면 도진이 진행하는 그 일이 수포가 될 거야. 그런 일에 대한 대비가 되어있다고는 했지만, 나로 인해서 그런 사태가 생겼다는 것을 알게 되면 그들은 나를 그 일에 참여시키지 않을 수도 있어."

예은은 그 말에 그저 고개만 끄덕였다. 그런데 그때, 창우의 뒤편에서 스르륵 하는 소리가 순간적으로 들렸다. 그러자 예은이 먼저 그 소리가 난 방향으로 눈을 돌렸고, 이내 창우 역시도 몸을 틀어 그쪽을 보았다. 하지만, 분명히 어떤 소리가 난 그 방향에서는 그 무엇도 나타나지 않았다.

창우와 예은은 그것을 어떤 동물이 지나간 소리라고 여기려던 찰나, 사람의 형체가 계단을 타고 천천히 올라오기 시작했다. 창우와 예은은 그것에 놀라 미동도 없이 눈만 껌벅이며 그것을 바라보았다.

어떤 소리 이후에 나타난 그것의 정체는, 우주로부터 괴물체의 접근 소식을 가장 먼저 알려주었으며, 창우의 회사 동료이자 이 모임의 창설 구성원인 조근석이다.

계단을 모두 오른 근석은 우람한 신체를 내보이며 창우와 예은이 있는 위치로 성큼성큼 다가왔다. 그리고 그를 본 창우의 머릿속이 복잡해지기 시작했다.

'우리의 얘기를 들었을까? 만약 들었다면 어디서부터 들었을까? 아니야, 담배를 피우러 방금 올라온 것일 수도 있어. 아마 못 들었을 거야.'

예은 역시도 같은 생각인지, 그저 멍하게 선 채로 근석과 창우를 번갈아 바라보았다. 그들의 가까이 다가간 근석은 굳은 표정과 희미한 미소를 번갈아 보이며 창우에게 말을 건넸다.

"창우 씨, 여기서 뭐 해?"

창우는 자신도 모르게 눈알을 좌우로 빠르게 움직인 후, 근석의 시선을 회피하며 그 물음에 응했다.

"그냥 예은이하고 바람 좀 쐬러 올라왔어요. 옥상에선 바람이 시원하게 부니까 기분 전환도 되고…."

"그래?"

근석은 주머니에서 담뱃갑을 꺼낸 후 거기에서 담배 한 개비를 꺼내 들어 입에 물었다. 그의 그런 모습을 본 창우가, 그가 자신의 말을 듣지 못했으리라 생각하고 안심하려던 그때, 근석이 창우에게 짧은 말 한마디를 건넨다.

"조금 전에 하던 얘기는 뭐야?"

순간 창우는 자신의 얼굴에 열감을 느꼈고, 입안에서는 침이 고이기 시작했다. 그리고 두피에서는 땀이 솟고 있는지 따끔거리는 증상을 느꼈다.

창우는 침착하게 그 공격을 방어하기 위한 방패를 꺼냈다.

"무슨 얘기…. 아, 이번 주말에 예은이하고 바다에 놀러 가기로 했거든요. 그냥 그 얘기였는데."

그러자 근석은 목구멍 깊숙이 빨아당긴 담배 연기를 공중으로 길게 내뱉은 후 그 답에 응했다. 그의 표정은 굳어있다.

"바다? 살아남을 수 있는 탈출기가 거기에 있어? 혼자만 알지 말고 나도 같이 알자."

창우는 순간 다리에 힘이 풀리는 느낌을 받았다. 아직 괴물체가 지구에 도달하지도 않았는데, 마치 눈앞에서 그것을 본 것 같은 기분을 느낀 것이다.

창우는 상대의 공격을 막기에는 허술했던 방패를 다시 집어넣고는, 근석을 빤히 바라본 후 말을 이었다.

"어디부터…. 들었어요?"

"응? 그게 중요해? 그냥 창우 씨가 아는 것을 나에게 말해주면 되는 것인데. 뭘 그렇게 뜸을 들여."

"그게…. 하아…."

이 상황에 감정이 동한 예은은 곧장 울음을 터트릴 것 같은 얼굴로, 자신의 두 손을 맞잡은 채 쉴 새 없이 손가락을 꼼지락거렸다.

아마도 낮이었다면 주변의 일상 소음에 창우의 작았던 목소리가 가려져 쉽게 근석의 귀에 닿지 않았을 테지만, 어둠이 짙게 깔린 밤의 주택가에서는 작은 소리도 상대적으로 멀리 전달된 탓에 조근석이 무언가를 들었을 것이다. 하지만, 그렇다고는 해도 모든 내용을 다 듣기에는 어느 정도 거리가 있었을 텐데, 근석의 여유 있고 자신만만한 태도가 조금은 수상하다. 덩치에 걸맞지 않게 소심하고 조급한 그의 성격으로는, 만약 일부만 들었거나 어설피 들었다면 조바심이 난다거나 흥분된 상태가 언행으로 나타났을 것이다.

그의 그런 성격을 알고 있던 창우는 몸의 에너지를 모두 머리로 끌어 올려 빠르게 고민을 했다. 그리고 내린 결론은, 이미 엎질러진 물이라는 생각에 도진이 진행 중인 생존 프로젝트에 대해 모두 털어놓았다.

창우의 말을 담담하게 들은 근석은, 이제야 주먹을 불끈 쥐고 흥분된 표정을 감추지 못한 채 소리를 질렀다.

"됐어! 그거 좋군!"

목소리만큼은 그의 몸집에 걸맞게 컸다. 그리고 창우는 얼른 그의 입을 막고는 급하게 말을 이었다.

"방금 한 얘기는 절대로 다른 사람에게 새어나가서는 안 됩니다. 그 누구에게도 안돼요. 가족, 친지, 친구, 모두 포함해서요."

근석은 미소를 띤 얼굴로 고개를 끄덕이며 말했다.

"물론이야. 준비가 완벽하게 되고 탈출 날짜가 정해지기 전까지는 철저히 숨겨야 한다는 말이지? 그 소문이 퍼지면 모두가 살겠다고 몰려서 아수라장이 될 테니. 그런 사태가 벌어지면 나도 손해니까 당연히 입 다물고 있어야지. 아, 그러고 보니 그 위치가 어디야? 제일 중요한 것을 빼먹었잖아."

창우는 여전히 시뻘게진 얼굴로 잠시 뜸을 들인 후 응했다.

125

"지금은 말할 수 없어요."

"괜찮아. 나 입 무거워."

창우는, 어떤 물체가 지구로 다가온다는 사실을 알게 되자마자 사람들을 모아놓고 초조하게 그것을 전해주던 근석을 떠올렸다. 근석은 분명 자신이 알고 있는 비밀 정보를 누군가에게 털어놓을 것이라는 생각이 들었다.

하지만, 그때와 지금의 상황은 다르다. 그때는 앞으로가 막막한 상황에서 근심 걱정을 털어낼 목적으로 그가 사람들에게 비밀을 털어놓은 것이라면, 현재는 오히려 이 비밀이 널리 퍼지면 근심 걱정이 더 생겨나는 상황이라 근석도 입을 다물어야 할 충분한 이유가 될 수 있다.

창우는 그 위치를 정확하게 알려주었다. 어차피 조만간 알게 될 테니, 그것을 속여서 상대가 자신을 잠재적인 적으로 여기도록 만들 필요까지는 없다. 그리고 창우는 그에게 다시 한번, 그 누구에게도 말해서는 안 된다고 신신당부를 하였다.

근석은 담배 한 개비를 더 꺼내 들어 그것을 다 피우고는, 창우와 예은의 곁을 벗어나 계단을 통해 1층으로 내려갔다.

큰 잘못을 한 것처럼 한숨을 내쉬며 입술을 오물거리던 창우를 보고 있던 예은은, 창우의 팔을 잡아끌며 1층으로 내려가자는 눈짓을 했다. 그러자 창우는 초점 없는 눈을 하고서는 순순히 예은의 이끎에 따랐다.

창우가 기운 없는 발걸음으로 옥상에서 1층으로 내려가는 계단을 두 걸음 내려갔을 때, 순간 그의 신발 뒷부분이 계단에 닿았고, 그와 동시에 '투둑' 하는 소리와 함께 작은 물체 하나가 바닥으로 떨어졌다. 그리고 바로 뒤에서 따르던 예은이 그것을 발견하고는 몸을 낮춰 주워들었다.

"오빠, 신발에서 떨어진, 이게 뭐야?"

예은은 인근 가로등의 불빛에 비치고 있는 그 물체를 가만히 보았고, 계단을 내려가다 멈춰선 창우는 다시 몇 계단을 올라가 예은의 손에 쥐어져 있던 회색의 작은 물체를 넘겨받았다. 그리고 스마트폰의 손전등 기능을 켜 자세히 살펴보았다. 그러고는 이내 눈을 동그랗게 뜨고 콧김을 짧게 여러 번 내뿜으며 말했다.

"이거…. 도청장치인 것 같은데…."

그 말을 들은 예은 역시도 놀라 눈을 크게 떴다.

창우는 그것을 얼굴 가까이 가져와 세심히 살폈다. 그럴 수밖에 없었던 이유는, 그것은 단순한 녹음기나 송신기 구조가 아니기 때문이다.

'소리 감지 감도가 굉장히 좋은 부품을 썼어. 게다가 이건 근거리용이 아니라, 원거리용이야. 휴대전화 네트워크망을 이용하게 되어있고, 아마도 저전력으로 오랫동안 작동하도록 설계된 것 같아. 도대체 누가 이걸 나에게….'

창우는 이 도청장치가 어째서 자신의 신발에 붙어 있었는지 추리를 해보기 시작했고, 오래지 않아 명확한 근거 없는 결론이라도 냈는지 자신의 입술을 힘껏 깨물었다. 그리고 손에 쥐고 있던 도청장치를 바닥으로 떨군 후 신발 바닥으로 세게 밟았다. 곧 그것은 그 어떤 저항도 없이 산산조각이 나, 원래의 형체가 사라졌다.

그의 그런 행동을 아무 말 없이 바라보고 있던 예은은 걱정스러움을 한껏 담은 말투로 말했다.

"오빠…. 지금 이 상황, 괜찮은 거야?"

창우 역시도 예은과 같은 감정을 실어 답했다.

"잘…. 모르겠어. 부디 그때까지 아무 일 없길 바라야지."

옥상과 1층을 이어주는 계단의 중간에 선 창우는 주변을 살핀후, 고개를 들어 하늘을 보았다. 그리고 어느 한 곳에 시선을 고정했다,

'이제 더는, 저 달 외에는 부디 이 비밀을 아는 사람이 없어야할 텐데.'

시선을 다시 아래로 내린 창우는 미간을 찌푸린 채 고개를 절레절레 저었다.

그렇게 무거운 공기를 잔뜩 안은 창우와 예은은, 근심 가득한표정을 지우지 못한 채 모임의 구성원들이 모여있을 1층을 향해천천히 발걸음을 옮겼다.

또 다른 비밀

그로부터 한 달이 지났다.

생존 모임의 구성원들은 각자의 역할을 하느라 여전히 분주하다. 창우와 예은 역시도 자신들이 알고 있는 것을 들키지 않기 위해, 그리고 태도 변화로 인한 의구심을 자아내지 않게 하려고 그들과 보조를 맞추었다.

하지만, 단 한 사람만은 그렇지 않다. 조근석은 창우로부터 비밀을 얻게 된 이후로 이 모임의 모든 활동에 무관심으로 일관하기 시작했다. 창우가 그랬던 것보다 훨씬 더 겉으로 티를 냈다. 자신이 맡은 일을 하지 않는 것은 물론이거니와 수시로 비아냥대는 농담을 일삼을 정도였다.

그런 그에게 창우는 주의하라고 경고하였지만, 그의 가벼운 언행은 도무지 바로잡을 수 없었다. 그래도 한가지 다행인 점, 아직

도진이 진행 중인 프로젝트가 근석으로 인해 주변에 알려지지는 않고 있다는 점이다.

이제 창우에게 남은 가장 중요한 일은, 가족들과 가까운 지인들을 무사히 '탈출기'가 있는 그곳으로 데리고 갈 계획을 짜는 것이다. 물론 그 목표 인원에는 지금 함께하고 있는 모임의 구성원들 대부분이 포함되어 있다. 하지만, 창우의 주요 주변인만 해도 30명 남짓한데, 여기 생존클럽 구성원들의 수와 그 관련된 사람들의 수를 합하면 최소 200명은 훌쩍 넘길 것이다.

그동안 당연히 자신의 주변인들 모두 거대한 위협으로부터 구출할 수 있으리라 생각한 창우는, 미처 예상하지 못한 의문점이 한가지 생겼다. 그것은, 탈출기가 몇 명까지 수용할 수 있냐는 것이다. 그 기계가 어떤 원리와 어떤 구조로 동작하는지 알지 못하는 상태에서는 몇 명까지 그것으로 탈출할 수 있을지 예상할 수 없다. 결국, 이 문제의 해답은 도진만이 가지고 있는 것이다.

그 생각이 떠오른 다음 날, 창우는 동이 트지도 않은 새벽부터 자동차에 올라 그곳으로 향했다. 쉬지 않고 달린 덕분에 그는, 이제 막 잠에서 깬 해가 힘겨운 모습으로 동쪽에서 얼굴을 내민 시각에 그곳에 도착할 수 있었다.

그는 차를 건물 앞마당에 주차해 두고, 이제는 익숙해진 작은 출입구를 통해 안으로 들어갔다.

그런데, 그 공간이 조금 낯설게 느껴졌다. 분명히 이전과 무언가가 달라진 느낌이 강하게 든 창우는 빠른 몸짓으로 주변을 살피기 시작했다.

그가 느낀 대로 확실히 건물 내부의 구성에 어떤 변화가 있다. 얼마 전 만남에서 도진이 뚫어지라 바라보던 모니터들이 하나도 없이, 오로지 그것들이 이전에 여기에 있었다는 작은 흔적들만 남아 있고, 취침과 취사도구들이 모두 사라졌으며, 그 외에 벽면을 따라 정돈되어있던 각종 작업 도구와 용품들이 깔끔하게 치워져 있다. 심지어 의자까지 사라진 상태이다.

하지만 그럼에도, 금속성 자재와 부품들이 덕지덕지 붙어 있는 거대한 '탈출기'는 여전히 이 공간 한가운데를 웅장하게 차지하고 있다.

'이 기계는 그대로 있는데, 어째서 다른 물건들은 하나도 없이 사라졌지?'

창우는 얼른 건물 밖으로 뛰어나가 그 주변을 맴돌며 도진과 진성을 찾으러 다녔다. 하지만 1시간 동안이나 그 근처를 샅샅이 뒤져봐도 도진은커녕 그 닮은 사람도 보이지 않았다.

창우는 막막해졌다. 그들을 만날 방법이 없는 것이다. 이곳으로 오면 언제든 도진 또는 진성을 만날 수 있으리라 여겼기에, 연락처나 이곳 외에 그들을 만날 수 있는 장소를 미리 확보해두지 않은 탓이다.

창우는 다시 그 건물 안으로 들어갔다. 그리고 탈출기의 외부를 따라 걸으며 그것을 살폈다.

'이건 큰 변화 없이 지난번에 봤던 것과 비슷해. 부품들도 그대로 다 붙어 있는 것 같고. 그런데, 어째서 주변의 물품들 대부분이

사라지고 이것만 남아 있을까?'

창우는 걸음을 멈춰 손을 턱으로 만지작거리며 잠시 생각하더니, 무언가가 떠오른 듯 눈썹을 치켜들며 고개를 끄덕였다.

'그렇지. 탈출기 제작이 완성된 것이야. 그래서 자질구레한 장치나 도구들은 전부 치워버린 깃이겠구나.'

낙천적인 성격의 창우는 그에 걸맞게 나름의 결론을 냈다.

'일단 밤까지 여기서 기다려볼까? 혹시 도진이 올지 모르니. 이럴 줄 알았으면 연락처라도 받아 놓을 걸 그랬네. 역시 뭐가 되었든 변수에 대비해야 해.'

일단 내일까지 이곳에서 보내기로 작정한 창우는 자신의 차로 조금 멀리에 있는 마트까지 가, 식품과 취침, 그리고 심심풀이에 필요한 몇 가지 물건을 사 왔다. 그리고 탈출기의 옆에 자리를 잡고 앉아 마냥 시간을 보내기 시작했다.

그렇게 시간을 보내는 동안, 어느새 서쪽으로 달아난 해를 뒤따라 기세등등하게 등장한 어둠을 맞았다.

'10시 33분.'

손목에 걸려있는 시계로 시간을 확인한 창우는 읽고 있던 책을 옆으로 던지듯 놓고는 자리에서 일어섰다. 그러자 그의 무릎과 허리에서 '투둑'하는 소리가 났다.

'으윽.'

짧은 신음과 함께 두 팔을 높게 들어 기지개를 켠 그는, 조명등 덕분에 환하게 밝혀진 내부를 천천히 둘러보았다.

'도진이나 진성 씨는, 오늘은 여기에 안 올 건가? 탈출기가 완성된 것 같으니….'

창우는 저녁 식사로 먹었던 간편식의 포장 상자와 남아 있던 음료수 등을 들고 출입구를 지나 밖으로 나갔다. 내부와는 달리 밖은 어둠으로 가득 차 있다.

손에 들고 있던 쓰레기들을 한쪽 구석에 모아둔 후 다시 안으로 들어간 그는, 무료했던 탓에 거대한 기계장치를 구태여 유심히 관찰하기 시작했다.

'도진이 녀석, 대단하긴 하다. 어떻게 이런 걸 만들 생각을 했지? 천재적 기질은 익히 알고 있었지만, 이 정도일 줄 몰랐네. 아마 남달랐던 지능과 독특한 습성 때문에 못난 사람들로부터 견제와 기피를 받느라 괴로웠겠지. 안타깝네. 그런 일을 겪지 않았더라면 국가적, 아니, 세계적 인재로 양지에서 활약했을 텐데.'

창우는 그저 감탄사를 연발하며 기계 구조물을 끝에서 끝까지 세심하게 살펴보았다. 그런데 그러던 중, 특이하게 생긴 모양의 걸쇠가 눈에 들어왔다.

'응? 이건 뭐지?'

그는 그 걸쇠가 붙어 있는 면을 유심히 살폈다.

'아, 이건, 내부와 연결되는 문인가?'

금속 재질로 만들어져 외부에 붙은 넓적한 판은 누가 보아도 출입이 가능한 문의 형태이고, 성인 한 명이 충분히 드나들 수 있는 크기 때문에 분명 내부로 드나들 수 있는 출입문이라고 단정 지을 수 있다.

창우는 조금은 허술해 보이는 걸쇠와 내부로 들어갈 수 있는 문이 확실해 보이는 금속판 앞에서 고민하기 시작했다.

'살짝 열어볼까? 괜히 건드렸다가 문제가 생기려나? 아무래도 그렇겠지? 안에는 수많은 부품이 서로 엮여 있을 테니까. 차원을 넘나들 수 있게 만들어주는 기계인데, 약간의 변화에도 예민하게 반응할 거야.'

하지만, 그의 낙천적이고 적극적인 성격이 순간 솟구쳤다.

'그래도…. 멀쩡하게 붙어 있는 부품을 떼어내는 것도 아니고, 들어가라고 만들어놓은 문을 열어보는 것뿐인데, 뭐 어때. 살짝 보기만 하자.'

창우는 그저 걸쇠만 덩그러니 붙어 있는, 그리고 잠겨 있지 않은 그 금속판으로 만들어진 문의 걸쇠를 풀고 손가락을 끼워 넣어 당겨보았다. 그러자 '철컥'하는 단발의 소리와 함께 묵직한 느낌으로 그것이 천천히 열렸다. 그리고 그는 스마트폰을 꺼내어 들어 손전등 기능을 켰고, 완전히 젖혀 열린 그곳으로 일단 머리를 들이밀었다.

그런데, 그 안의 광경을 본 창우는 당황스러움을 감추지 못했다. 머리만 쑥 들이민 상태로 그대로 멈춰 선 채 눈만 껌벅거렸는데, 이내 그의 머릿속은 갑자기 복잡해지기 시작했다.

'이…. 이게 뭐야?'

창우가 머리를 들이밀어 보고 있는 그 기계 구조물의 안쪽은 텅 비어있다. 탈출기라고 칭한 이 기계는 사실, 겉만 그럴듯한 속 빈 강정에 불과한 것이다. 그것을 깨닫게 된 창우는 자신도 모르게 몸을 휘청거렸고, 이번에는 몸을 완전히 그 안으로 밀어 넣고는 멍한 표정으로 다시 그곳을 둘러보았다.

'아니, 도대체…. 이게 뭐야?'

공상과학 영화에서나 볼 법한 웅장하고 거친 느낌의 외관에 비해, 안쪽은 그저 아무 의미 없는 철판과 나무판자 등이 덕지덕지 붙어 있다. 그리고 틈새 곳곳에는 고철 쓰레기로 보이는 것들이 질서 없이 꽂혀있다.

그렇게 멍한 상태로 한동안 정신을 차리지 못한 창우는 다시 출입구를 통해 밖으로 나왔다. 그 내부와는 달리 외부는 화려하다. 속이 비어있더라도 외부로 구성된 장치들로만 어떤 기능을 한다고 여길 수도 있겠지만, 그것은 상식에서 너무 어긋나는 것이다.

겉과 속이 다른 기계 구조물을 본 그는 안절부절 어쩔 줄 모르는 모습을 보이며 오른손으로 자신의 목덜미만 반복해서 문질러댔다. 그러고는 급히 이 공간을 빠져나가, 자신이 타고 온 차로 가 운전석에 앉았다. 그의 모습은 마치 누군가를 피해 도망가는 모양새였다. 그리고 그는 가만히 앉아 어떤 생각을 하기 시작했다.

잠시 후, 창우는 다시 공장 건물 안으로 들어가 무언가를 찾는 행동을 보였다.

'단서. 단서를 찾아야 해. 혹시 도진이가 무언가를 남겨뒀을지도 몰라. 뭔가 일이 생긴 것이라면, 어떤 흔적 같은 게 있을 거야.'

창우는, 도진에게 그저 무언가 일이 생긴 것이라고만 판단했다. 역시 그는 도진과는 반대되는 성격이다. 분명히 기계 구조물의 텅 빈 내부를 봤음에도 도진이 자신을 속였으리라 생각을 하지는 않은 것이다. 낙천적인 마음의 힘이다.

마치 바닥에 떨어진 바늘을 찾듯 구석구석을 살핀 그는, 이번에는 아직 열려있는 기계 덩어리의 안으로 다시 들어갔다. 하지만, 금속과 나무 판들이 너무나도 엉성하게 서로 얽혀있는 모양새를 보고 있자니, 단서를 찾기는커녕 이 공간에 머무르고 있어야 할 의지를 잃은 듯하다.

창우는 자신도 모르게 다리에 힘이 빠져 휘청거렸고, 그와 동시에 눈에 눈물이 고이기 시작했다. 지구로 다가오는 괴물체로부터 생존할 수 있다는 희망이 순간 송두리째 사라진 것이다.

"하아…. 젠장…."

창우는 자신을 스스로 원망하는 듯 왼손으로 주먹을 쥐어 머리를 몇 번 때렸다.

"다른 우주로 가? 하아…. 내가 바보지. 그런 말을 믿었다니."

그리고 그는 바닥에 털썩 주저앉았다.

'그런데…. 차도진, 그 녀석은 왜 나를 속인 걸까? 무엇을 위해서? 지금, 이 매우 급한 시기에 왜 나를 상대로 시간 낭비를 한 것일까? 괴물체와의 충돌에서 살아남을 수 없다는 것을 알고, 그때가 올 때까지 장난질이나 일삼으려고 한 것인가? 아니면, 원래 그런 놈이었던 건가? 그저 미친놈이었던 건가? 그들이 한 말은 전부 거짓이었던 것인가?'

창우는 심각하던 표정을 갑자기 풀고는 생각을 이어갔다. 그는 왜인지 도진에 대한 믿음을 잃지 않기 위해 애썼다.

'아니, 그렇지 않아. 도진은 분명히 뭔가를 했어. 지금 이 상태는 분명 어떤 이유가 있어서일 거야. 혹시…. 그때 말한 기밀 유출에 대한 대비책이 실행된 건가?'

그렇게 창우는 한동안 일어나지 못하고 생각에 잠겼다.

그리고 20분 정도가 흘렀다. 창우는 힘겨운 몸짓으로, 오른손으로 바닥을 짚고는 몸을 천천히 일으켜 섰다. 그리고 소주 반병을 급히 들이킨 것처럼 몸을 휘청이며 밖으로 나가는 구멍으로 몸을 옮기기 시작했다.

그렇게 한발, 한발을 떼던 중, 순간 창우는 뭔가 이상하다는 듯 바닥을 보았다. 그리고 그는 멈춰선 그 자리에서 한 발을 공중으로 살짝 든 후 다시 바닥을 지그시 누르기를 몇 번 반복했다.

'어? 이 부분은 왜 밟는 느낌이 다르지?'

창우는 앞쪽을 비추고 있던 불빛을 아래로 내린 후, 무릎을 굽혀 앉아 손으로 바닥을 누르며 관찰했다. 그러고는 그 주변의 바닥도 살폈다.

'이 부분만 금속판이 유난히 네모반듯하게 가공되어 있어.'

그는 자신의 발이 닿아 있는 바닥과 그 주변을 손가락으로 두드렸다.

'확실히 이 부분만 소리가 달라. 이 금속판들이 바닥에 직접 닿아 있는 거라면 울림이 거의 없어야 하는데, 이 부분은 속이 비어 있는 것처럼 약한 울림이 있어. 뭔가 이상한데.'

이번에는 손바닥으로 바닥을 쓸어 그 금속판의 가장자리 부분에 있을 틈을 찾아보았다. 그리고 2㎜ 정도로 일정하게 벌어져 있는 부분을 찾았다.

창우는 그곳에 손가락을 억지로 집어넣어 그 금속판을 움직여보려 하였으나 손가락이 들어갈 정도의 틈은 아니었거니와, 억지로 집이넣이 힘을 준다고 해도 그것에 변화를 주기는 쉽지가 않아 보였다. 그래서 그는 곧바로 자신의 차로 가 몇 가지 물건들을 가지고 왔다. 그것은 캠핑이나 등산을 할 때 사용하려고 차에 보관해 둔 도구들이다.

그 도구들을 사용하여 바닥의 금속판 하나를 들어 올린 후, 옆으로 치웠다. 금속 재질이었지만 두꺼운 편이 아니라서 쉽게 이동시킬 수 있었다. 금속판을 옆으로 치운 창우는 불빛을 그곳으로 비추었다. 그리고 침을 꿀꺽 삼키며 그것을 가만히 지켜보았다.

금속판이 치워진 그 자리에는 사람 두 명이 동시에 들어갈 수 있을 만한 크기의 구멍이 바닥을 향해 나 있고, 그 구멍의 형태대로 터널이 뚫려 있다. 그리고 아래로 이어지는 터널의 한쪽에는 어떤 소재로 만들어진 것인지 알 수 없는 사다리가 붙어 있다.

'이건 또 뭐야?'

그 순간 창우는 온몸의 에너지를 머리로 모아 지금의 이 상황에 대해 추리를 해보기 시작했다. 하지만 그 어떤 합리적인 해석이 나오지 않았다. 그래서, 이 터널을 따라 아래로 내려가 보기로 했다.

하지만, 그는 겁이 났다. 밤에는 인적이 드물어 자동차가 지나가는 소리는커녕 개가 짖는 흔한 소리조차 들을 수 없는 공단 지역의 외곽, 허름한 공장 건물, 그 건물 안에 음침하게 자리 잡은 금속 구조물, 그리고 그 안에서 발견한 어두컴컴한 정체불명의 터널. 겁이 나는 것이 당연하다.

텅 빈 공장 건물 안에서 머무는 것 자체는 이제 어느 정도 익숙해지기도 했고, 희망찬 미래를 상상하며 두려움을 떨쳐낼 수 있지만, 예상치 못하게 불현듯 나타난 지하로 향하는 터널 앞에서는 평정심을 유지하기가 쉽지 않다.

창우는 불빛을 그 터널 내부로 비춰 한참을 살폈다. 사실, 그것을 관찰한다기보다는 그 안으로 들어가는 것을 최대한 미룰 수 있는 핑계를 찾고 있는 것에 불과해 보였다.

그렇게 5분 정도를 아무런 소득 없이 보내고 있을 때, 그는 결심한 듯 몸을 일으켜 손전등으로 사용 중이던 스마트폰을 입으로 물었다. 그리고 한쪽 다리를 터널이 있는 쪽으로 내려 사다리에 건 후 무릎을 굽혀 다른 다리 한쪽도 사다리로 내려 한발씩 아래로 내딛기 시작했다.

신발과 사다리가 서로 닿아 툭툭거리는 소리가 그의 귓속으로 강하게 꽂히고 있다. 그리고 한발 한발 내려가는 동안 그의 몸에는 계속해서 소름이 돋았다. 지금 창우의 행동은 결코 호기심에서 비롯된 것이 아니다. 그저 이 터널을 지나면 생존을 위한 단서가 있으리라 판단에 하는 행동이다. 즉, 그에게 지금의 행동은 단지 생존을 위한 수고일 뿐이다.

아래로 나 있는 터널은 생각보다 깊다.

'생각보다 깊은데. 이거 얼마나 더 내려가야 하는 거야?'

창우는 잠시 멈춰 서 불빛을 위로 비추어보았다. 그의 시선 정면에는 바늘구멍처럼 보이는 터널 입구가 희미하게 보였다. 그러고는, 이번에는 아래로 비추어보았다. 그곳에는 감히 스마트폰의 엉성한 **불빛**으로 터널의 끝을 판단하려 하는 그를 비웃기라도 하듯 그저 깜깜한 공간만 뻗어 있을 뿐이다.

창우는 한숨을 한번 내쉰 후 다시 아래로 내려가기 시작했다.

그렇게 약 20분 동안 내려갔을 때, 어떤 낯선 소리가 그의 귓가를 자극했다. 그 소리는 어떤 단단한 물체끼리 마찰하는 소리 같았는데, 전기 스파크가 이는 듯한 소리도 섞여 있었다. 그로 인해, 창우의 몸이 다시 큰 긴장감으로 휩싸였다.

내려다가 다시 멈춰선 그는 불빛을 아래로 비추어보았다. 이번에는 불빛이 무언가를 비추었고, 빛이 겨우 닿은 그곳에는 회색빛의 무언가가 보였다. 그것은 지하 어딘가로 향하는 이 터널의 끝이다.

지속해서 들리고 있는 어떤 소리에 두려움을 느낀 창우는 눈을 질끈 감고 마른 침을 삼킨 후, 다시 천천히 아래로 내려가기 시작했다. 그리고 곧 터널의 끝, 바닥에 닿았다. 그곳에는 높이가 2미터쯤은 될 만한 또 다른 터널이 지면과 수평으로 나 있다.

창우는 조심스럽게, 천천히 다시 발걸음을 옮기기 시작했다. 그리고 곧 그의 눈앞에는 면적이 50제곱미터쯤, 높이가 5m는 되어 보이는, 이곳이 지하가 맞나 싶을 정도로 조명등으로 환한 공간 하나가 나타났다. 그 공간의 중간중간에는 콘크리트로 만들어진 것처럼 보이는 두꺼운 기둥이 질서 없이 곳곳에 세워져 있고, 모든 벽면 역시도 콘크리트가 발라졌는지 일반적인 도로의 터널처럼 마감이 되어있다. 다만 깔끔한 모양새는 아니고, 어떤 이유로 급히, 그리고 대충 만든듯한 느낌을 준다.

'여긴 또 뭐야? 누가 이런 곳을⋯.'

창우는 몸도 꿈쩍하지 못한 채 그저 눈알만 여기저기로 옮겨대며 공간 안을 살폈다. 그러던 중, 문 하나 없이 그저 뚫려만 있는, 이 공간과 다른 공간을 이어주는 것처럼 보이는 3개의 통로 중 하나에서 낯익은 사람 한 명이 갑자기 튀어나왔다. 그는 도진의 동생인 진성이다.

사람의 형체를 한 무언가가 갑자기 나타났다는 것에 창우는 놀라 당황했지만, 곧 그 정체가 진성이라는 사실에 안심했고, 오히려 반가운 마음이 솟아 그에게 말을 걸려고 다가갔다. 하지만, 이내 창우의 눈앞에서 순간 별이 보이며 그는 바닥으로 쓰러지고 말았다.

그리고 뒤이어지는 어떤 충격. 창우는 정신을 차릴 수 없었다. 지금 무엇이 어떻게 된 건지 파악조차 할 수 없는 상태가 되었다. 몇 번의 충격이 가해진 끝에, 그제야 창우는 얼굴과 어깨, 등에 통증을 느껴 소리를 질렀고, 그러고 나서야 그 충격도 함께 멈추었다.

바닥에 잠시 쓰러져있던 창우는 잠시 후, 신음을 내며 힘겨운 모습으로 허리를 세워 몸을 일으켰다. 그리고 그의 눈앞에는 이전에 만났을 때와는 다르게 무표정으로 자신을 바라보고 서 있는 진성이 보였다. 그때 창우는 자신이 받은 충격의 원인이 진성임을 알아챘고, 고통을 참으며 어리둥절한 표정을 한 채 그에게 말을 건넸다.

"저, 저기, 왜…."

아직 충격이 가시지 않은 탓에 길게 말을 잇지 못한 창우는, 잠시 말을 멈추고 스스로 진정을 시키고는 다시 입을 열었다.

"지, 진성 씨. 왜 이러는 겁니까? 저예요. 도진의 학교 동창 창우. 우리 얼마 전에 만났잖아요. 기억 안 납니까?"

하지만 진성은 얇게 뜬 눈을 하고서는 창우를 계속해서 노려보는 중이다. 그리고 상대에게 어떤 분을 가진 사람처럼 그의 입술과 주먹을 쥐고 있는 팔이 씰룩거리고 있다. 그것은 마치 상대에 대한 적개심을 억지로 참는 듯한 태도이다.

그렇게 분노를 안으로 삭이려는 진성과, 충격을 받아 얼얼해진 창우가 서로를 바라보며 약 15초 정도 대치하고 있을 때, 근처 어딘가에서 소리가 났다.

스슥, 스슥, 타박.

창우는 진성을 시야에서 잠시 밀어내고 고개를 돌려 그 소리가 나는 쪽을 보았다. 진성이 나왔던 통로에서 다시 사람의 형체가 보이기 시작했는데, 그 모습은 도진이다.

창우는 도진의 모습을 바라보며 지금의 이 상황을 파악해보려 애를 썼다. 그리고 다시 진성의 공격이 이어질지 모른다는 생각에 진성을 경계하는 것도 잊지 않았다. 창우의 머릿속은 복잡해져 과부하가 걸릴 지경이다.

도진의 표정은 학생 시절이나, 얼마 전 오랜만에 다시 만났을 때나, 지금이나 전혀 변함이 없다. 큰 미소를 짓지도, 눈썹을 올리거나 내리지도, 눈을 크게 뜨지도, 화가 난 기색을 보이지도, 어떤 불만이 서려 있지도 않다.

도진은 창우에게 눈길도 주지 않은 채 그를 스쳐지나, 조금 떨어진 곳에 섰다. 어색한 거리이긴 했지만 대화는 충분히 가능할 정도이다.

그런데, 그 통로를 통해 나타난 사람은 도진 혼자가 아니다. 한 사람이 더 있다. 도진을 조금 멀리서 뒤따르던 또 다른 사람이다. 창우에게는 낯선 그 사람은 도진의 옆에 섰다. 그리고 창우는 그 사람의 모습을 가만히 보았다. 당연히 모르는 사람일 거로 생각하고 관찰하려던 것뿐이었지만, 이상하게도 낯익은 느낌이 들었다.

창우는 진성에게 두들겨 맞았다는 사실을 잠시 잊고, 자신도 모르게 도진을 향해 발걸음을 뗐다. 그러자 그의 앞을 가로막고 있던 진성이 팔을 내밀어 그의 어깨를 밀며 저지했다.

창우는 답답함에 크게 소리를 지르고 싶은 지경이 되었다. 단순히 이유도 모르게 진성에게 폭행을 당했다거나, 도진이 자신을 보고도 모른척했기 때문은 아니다. 생존, 다가오는 거대한 위기로부터 살아남을 유일한 기회를 놓칠 수는 없다는 간절함에서 비롯된 것이다.

지금 이 공간 안에 있는 그 누구도 창우에게 말을 걸지 않는다. 이전에는 친절하게 대해주었던 진성마저도 그렇다. 친절은커녕 오히려 일방적인 폭력을 행사하는 사람이 되어버린 것이다.

창우는 진성의 얼굴을 바라보았다. 그의 표정에서는 그 어떤 말도 들어주지 않을 기세가 느껴졌다. 그래서 창우는 모든 힘을 다리로 모아, 마치 용수철이 튕기듯 몸을 움직여 도진에게로 달려갔다. 그 순간 진성은 그를 막지 못했다.

도진의 옆으로 긴 창우는 그의 팔을 손으로 붙잡으며 무언가를 사정하듯 말을 걸었다.

"도진아. 무슨 일 있어? 왜 이곳에…."

그가 말을 끝내기도 전에 다시 등에 충격이 전해졌다. 이 충격 역시도 진성으로 인한 것이었다.

"으윽."

그리고 창우는 진성의 손에 목덜미와 팔을 붙잡혀 뒤로 끌려가기 시작했다. 창우 역시도 체력이나 신체조건은 뭇 남성들에게 꿀리지 않을 정도이지만, 지금의 이 당황스러운 상황에서는 진성의 힘을 당해낼 수가 없다. 정확히는, 제대로 대응을 하지 않고 있다고 보는 편이 맞겠다. 생존의 기회를 놓치지 않기 위해서는 상대와 같은 방법을 써서는 안 될 것 같다는 생각이 들었기 때문이다.

하지만 그 자신도 폭력적인 방법을 쓰지 않고서는, 자신의 몸을 속박하고 있는 상대의 손을 떼어내려 몸부림을 쳐봐도 소용이 없었다. 그저 무기력하게 진성에게 붙잡혀 끌려가는 것 외에는 방법이 없는 것이다.

이렇게 목숨의 위협을 느끼는 상황까지 치닫게 되자, 창우는 주변에 무기가 될 만한 무언가가 있는지 찾기 시작했다. 일단은 손에 뭐라고 쥐고 있어야 이 상황에서 잠시나마 벗어날 수 있을 것 같았다.

그때, 도진의 목소리가 들려왔다.

"놔줘."

그러자, 순간 목덜미로 느껴지던 강한 압박감이 사라졌고, 그와 동시에 창우는 바닥으로 털썩 주저앉았다. 하지만, 마냥 바닥에 앉아 있을 수만은 없던 창우는 다시 도진에게로 달려갔다. 그리고 자신에게 시선을 주지도 않고 있는 도진에게 다시 말을 걸었다.

"도대체 왜 이러는 거야? 무슨 일이냐고. 진성 씨는 도대체 왜 저러는 건데? 우린 팀이잖아. 나도 이 일의 멤버잖아. 나도 해야 할 역할이 있다며. 지금 날 가지고 무슨 짓을 하는 거냐고!"

창우는 답답한 마음을 이기지 못해 목소리를 높였다. 그리고 10초 정도 정적이 흐른 후, 도진이 고개를 천천히 돌려 창우를 보며 나지막한 목소리로 말을 하기 시작했다.

"멤버? 지켜야 할 약속을 어긴 사람과는 한 팀이 될 수가 없어."

"약속을 어기다니…. 그게 무슨…."

그 말을 들은 창우는 순간 떠오르는 것이 한가지 있었다. 그것은 지금의 이 일을 예은과 조근석에게 알려준 사실이다. 하지만 도진은 그 사실을 알지 못할 것이 분명하다. 예은은 비밀을 쉽게 발설할만한 성격은 아니고, 조근석은 입이 가볍긴 하였으나 굳이 이런 식으로 일을 망칠만한 어리석은 인물은 아니다. 발설하면 자신에게 불리하다는 사실로 인해 그 입만큼은 스스로 철저하게 단속을 하고도 남을 것이다.

도진이 말한 '약속'이라는 의미가 그것이 맞는지, 그것이 맞다면 어떻게 그걸 알게 되었는지 추리를 하고 있던 찰나, 또 다른 사실 하나가 급히 떠올랐다. 그것은 자신의 신발 뒤에 붙어 있던 고성능 원거리 도청장치이다.

'아…. 그랬었군. 어쩐지…. 그래서 도청장치에 원거리 송신 모듈이 들어가 있었던 것이구나. 도진이나 진성 씨가 내가 자고 있던 사이에 붙여둔 거겠군. 도진은 처음부터 나를 믿지 못하였어. 그래서 이 지하시설을 나에게 알려주지도 않았고, 도청장치까지 붙여 놓은 것이구나.

도진의 입장에서는 일단 나를 신뢰할 수 있는 사람인지 시험해보는 건 당연해. 모두의 생존이 걸린 중요한 일이니까. 이들을 탓할 거 없어. 내가 망친 거야. 내가 꾸준히 믿음을 주었더라면 언젠가는 이 시설을 나에게 밝혔겠지. 내가 큰 실수를 저질렀어. 젠장.'

순간 그 퍼즐이 맞춰진 창우는, 그 사실에 대해 변명의 여지가 조금도 없다는 것을 깨닫고는 도진을 보며 말했다.

"정말 미안해. 그것에 대해서는 정말 할 말이 없어. 내가 조심했었어야 했는데 그러지 못했어. 하지만, 이 일에 문제가 생기지 않도록 조치를 할 거야. 할 수 있어."

"나는 너를 믿을 수 없어."

도진은 집게손가락으로 위를 가리키며 말을 이었다.

"이미 알고 왔겠지만, 저기 위에 있는 그것은 가짜야. 여기 이곳에 있는 게 진짜고. 아니, 엄밀하게 따지자면, 위에 있는 것은 한때 시험용으로 쓰던 알파 타입의 일부분이지. 어쨌든, 이곳으로 들어올 수 있는 그 입구는 완전히 막아버릴 생각이니, 너 때문에 이곳을 알게 된 누군가가 찾아오더라도 이곳까지는 오지 못하겠지."

그러자 도진이 급히 그 말을 받았다.

"맞아. 이곳은 알 수가 없어. 여기 이 시설이 있다는 것은 절대로 말하지 않을 거야."

하지만 도진은 그 말을 한쪽 귀로 흘려버리고는 자신의 말을 이었다.

"그런데 말이야. 너를 여기서 내보내면 이 진짜가 알려지게 될 거야. 그렇다고 쓸데없이 너를 이곳에 계속 두고 감시하는 것도 부담이고 말이지."

무표정한 표정으로 그 말을 건넨 도진을 본 창우는 온몸에 소름이 돋았다. 그리고 마른침을 꿀꺽 삼켰다. 그의 근처에서는 근육질의 다부진 몸매를 가진 진성이 노려보고 있다. 여기서 내보낼 수 없다는 도진의 말에 정확히 어떤 의미가 담겨있는지 알 수 없지만, 낙천적인 성격의 창우로서도 그 말은 충분히 부정적으로 해석하고도 남을 정도로 위압감이 들었다.

창우는 무언가를 가만히 생각했다. 그리고 그 생각의 결과를 입으로 내뱉으려 했지만 애써 참으려는 듯, 고개를 좌우로 젓는듯한 움직임을 잠시 보이더니 입술을 세게 다물었다. 아마도 이 위기를 벗어날 수 있는 어떤 말을 하려 했지만 그러지 않기로 한 것 같았다.

창우는 애써 긴장감을 억누르며 그저 가만히 서 있는 중이다. 지금 이들에게는 어떤 말로 설득하려 해도 통하지 않으리라는 것을 직감했기에, 그저 침묵을 유지하는 편이 낫겠다는 판단을 한 것이다. 그리고 한 가지 더 든 생각은, 이곳에서의 탈출은 불가능에 가깝다는 것이다. 괴물체를 피해 지구에서 탈출은커녕 이 작은 공간에서의 탈출도 할 수 없는, 위기에 준비되지 않은 현재의 그는 무기력하고 나약하다.

하지만 창우는 또렷한 정신으로 계속해서 생각했고, 눈알도 여기저기로 옮겨가며 이 공간 곳곳을 빠르게 살폈다. 진성이 다시 공격해온다면 어떻게 방어를 할지, 건장한 성인 남성 세 명을 어떻게 제압해야 할지, 잠시나마 시간을 벌 수 있게 된다면 어떤 루트로 이곳에서 빠져나가야 할지 등에 대해 생각을 거듭했다.

도진 역시도 두 팔을 모아 팔짱을 낀 채 무언가를 생각하는 듯 잠자코 있는 중이다. 그리고 정적은 30초 이상 지속되었다.

잠시 후 도진이 입을 열었으나, 그 말은 창우를 향한 것이 아니었다. 도진은 그 옆에 서 있는 누군가에게로 고개를 돌리며 말했다.

"어떻게 하는 게 좋을까요?"

그러자 도진보다 몇 살은 많아 보이며, 매끈한 피부에 단정하게 뒤로 넘긴 머리카락, 이국적인 느낌의 긴 얼굴형에 큰 키, 그리고 마른 체형에 눈빛이 강렬한, 그저 먼 곳에 시선을 두고 잠자코 있던 남자가 그 모습을 그대로 유지하며 말했다.

"이봐요. 거기."

창우는 그것이 자신을 부르는 것임을 알아채고는 곧장 응했다.

"저, 말인가요?"

"당신 방금 무슨 생각 했어?"

상대의 목소리와 말투에는 그 자체에 위압감이 서려 있었다. 목소리를 높이지도, 그 어떤 거친 어휘를 쓰지 않았음에도 마치 총을 들이대는 것만 같았다.

창우는 이미 신뢰를 잃은 마당에, 그리고 당하는 자로서 할 수 있는 생각이라 봤자 뻔한 이 상황에, 어설프게 거짓말을 할 바에야 차라리 정직하게 답을 하기로 했다.

"어떻게 무사히 이곳에서 나갈 수 있을지 방법을 생각하고 있었어요."

그 말을 들은 남자는 창우를 가만히 지켜보고는, 도진의 어깨에 자신의 손을 살며시 얹히며 말했다.

"괜찮을 것 같군요."

그러자 도진이 가만히 그 말을 받았다.

"박창우, 두 번의 기회는 없어. 말하지 않아야 할 것을 말하고 다닌다면 너는, 더는 괴물체가 다가오는 것에 대해 걱정할 필요가 없게 될 거야."

창우는 그 말의 의미가 무엇인지 바로 알아챘다.

"아, 알았어…."

한때는, 학창 시절만 해도 창우는 언제든지 도진에게 집단 내에서의 굴욕을 줄 수 있는 이른바 '갑'의 입장이었다. 물론 실제로는 그러지 않았지만, 그저 과묵하고 행동반경이 작으며 대인관계가 원만하지 않았던 도진에게, 창우가 마음만 먹었다면 무시하는 언행을 일삼으며 적극적으로 따돌리고도 남았을 것이다.

그리고 번듯한 직장에 다니는 창우가 사회적으로는 도진보다 훨씬 더 대접을 받는 위치에 있는 것이 사실이다. 그리고 낙천적이고 활발한 창우는 어떤 식으로든 사람과 어울릴 줄 알았기에 인맥도 풍부하다.

단순히 이 둘의 사회적 입장만 본다면 창우가 강자이고, 도진은 약자이다. 하지만, 작금의 이 위기 상황에서는 그 위치와 입장이 완전히 뒤바뀌었다. 사회적 지위라는 것도 결국 환경적인 안정이 뒷받침되어야 힘을 발휘하는 법이다.

괴짜이며, 자신이 정한 목표를 달성하는 것에만 집중하며, 집단 내에서 활기를 나타내지도 않고, 대인관계가 좁다 못해 지인이 있다는 것이 놀라울 정도인 도진이 창우의 위에 올라서서 다스리고 있는 모양새가 된 것이다.

인간이라는 존재는 사회적 역할과 집단에서의 필요로 그 우위와 질서가 정해지고, 상태가 바뀌면 그 우위도 바뀐다는 단순한 논리와 법칙이 증명되는 순간이다.

창우는 그동안의 긴장을 날려 보내려는 듯 크게 한숨을 내쉰 후 곧장 도진에게 질문을 던졌다.

"그럼…. 나, 아직 이 일에 참여하고 있는 것이지?"

그러자 도진은 잠시 뜸을 들인 후 답했다.

"네가 해야 할 일이 있으니까."

"그…. 그래. 알았어."

창우는 그에게 하고 싶은 질문이 많았다. 하지만, 겨우 상대의 위협에서 벗어났는데, 이 무거운 분위기에 눈치 없이 자신의 궁금한 것들을 쏟아내는 언행을 차마 할 수가 없었다. 그래서 일단 지금은 이곳을 벗어난 후 다음을 기약하기로 하였다.

그렇게 이곳을 떠나는 것을 허락받게 된 창우는 몸을 돌렸다. 그곳에는 아직 진성이 서 있다. 그리고 그의 표정은 여전히 어둡고 무섭다.

창우가 원래 왔던 길로 되돌아가기 위해 몇 걸음을 옮기던 중, 갑자기 도진의 목소리가 들려왔다.

"10월 5일 오전 9시까지 이곳으로 와. 그리고 혹시나 해서 하는 말인데, 자질구레한 물건 따위는 가지고 오지 마. 그런 건 필요 없을 테니까."

"10월…. 5일? 혹시, 그날이 출발하는 날이야?"

"그래."

창우는 가슴이 뛰기 시작했다. 이상한 기분이다. 어린 시절 정든 동네를 떠나 먼 곳으로 이사를 하던 때와는 완전히 다른 기분이 들었다. 이제 몇 주가 지나면, 수많은 인간과 동식물이 있고, 산과 바다가 있으며, 태양이 비치고 구름이 떠다니는, 비가 오고 바람이 부는 이 지구라는 터전을 완전히 떠나 다른 곳으로 가게 된다. 어떤 환경이 펼쳐져 있을지 알 수 없는 새로운 장소로.

지금까지는 그저 다가오는 괴물체로부터 생존할 수 있다는 기쁨과 기대감에 이 행성을 떠난다는 사실을 실감하지 못했지만, 날짜가 정해지자 어떻게 표현할 수 없는 무겁고 아쉬운 기분이 솟구쳤다. 다만, 자신이 스스로 이곳을 떠나려는 것이 아니라, 어쩔 수 없이 그렇게 결정되었다는 사실만이 그 감정을 조금이나마 덜어주었다.

창우는 이왕 말이 나온 김에 중요한 질문 하나를 도진에게 던졌다.

"염치없이 하나 물어보고 싶은 게 있는데. 그날, 함께 가야 할 사람들이 있어…. 네가 만든 탈출기, 아니, 기계장치가 몇 명이나 수용할 수 있을지…."

창우는 말을 잠시 멈추고 도진의 반응을 살폈다. 그러자 도진은 창우가 무슨 말이 하고 싶은지 알겠다는 듯 그 말에 응했다.

"너 가족이 몇 명이야?"

"부모님, 그리고 누나,"

"너의 가족까지만. 부모님, 형제자매. 딱 거기까지."

자신과 가까운 사람 모두가 함께 갈 수 있을 것이라 생각한 창우는, 예상하지 못한 그 말에 당황하여 조금은 떨리는 목소리로 말했다.

"나 여자친구가 있어. 결혼까지 생각하고 있는 사이이고. 그리고, 너도 도청해서, 아니, 들어서 알겠지만, 조근석이라는 사람이 이 사실을 다 알고 있어. 만약 그가 눈치를 채면 어떤 식으로든 그 전에 끼어들려 할 거야."

"너는 그저, 너의 역할을 하기 위해서 살 기회를 얻는 거야. 내가 계획한 건 너 혼자였다고. 그런데, 너 혼자 살려주겠다고 하면 네가 이 일에 제대로 협조하지 않을 테지. 그래서 너의 가족들까지 포함한 거야. 후우…. 좋아. 네 애인까지만 허용해주지. 그 이상은 안 돼. 조근석이라는 사람은, 귀찮게 굴지 않도록 네가 알아서 처리해. 네가 저지른 일이니까."

"그런데, 굳이 그렇게 인원 제한을 하는 이유가 뭔지 궁금해. 알려줄 수 있어?"

도진은 눈을 살짝 감은 채 고개를 옆으로 돌렸다. 그 질문에 대한 대답은 하지 않겠다는 소극적인 표현이다. 그 모습을 본 창우는 그가 그러는 이유를 알겠다는 듯 한마디를 더 붙였다.

"이 지하에 들어온 이후의 상황과 네가 말하는 것들은 절대로 발설하지 않을 거야. 다 된 밥에 재 뿌리지 않을 거니까, 알려줘. 그 이유를 알아야 내가 수긍을 하든 이해를 하든 할 수 있을 거니까."

그러자 도진은 손으로 자신의 목덜미를 쓰다듬고는 창우의 말에 응했다.

"일단은 전력. 네닉 시스템을 작동시키는데 많은 전력이 필요해. 네가 어느 정도를 상상하든 그 이상이야. 시스템이 본격적으로 작동하게 되면 최소한 이 나라 전체가 사용 중인 전력은 끌어 와야 하는 수준이 될 거야."

도진은 이 지구, 그리고 이 우주를 벗어나게 해주는 그 장치를 네닉 시스템이라고 칭했다.

"그 정도라면, 간단한 일은 아니잖아. 그게 가능해?"

"물론 일반적으로는 불가능에 가깝지. 하지만 이곳에는 전용 발전기가 있어. 네가 알고 있는 일반적인 형태의 발전기가 아니라 특별하게 제작된 전기 생산 시설이지. 외부에서 끌어오는 전기의 부족분을 채워줄 수 있는 발전기가 이곳에 있는 거야. 하지만, 그 생산량이 무한하지가 않고, 순간 최대 출력치가 아직 안정적이지 않은 상태야.

그리고 두 번째 문제. 많은 양의 데이터를 아주 짧은 시간 안에 처리해야 해. 다른 우주로 보내야 하는 데이터지. 그러려면 고성능 데이터 처리 장치들이 있어야 하는데, 지금 마련해둔 시스템 구성으로는 여러 가지의 한계가 있어. 물론 확장은 충분히 가능하지만, 그러기에는, 현재로서는 시간이 너무 부족하고 그에 따른 위험을 감수해야 해.

만약 이 시스템을 이용하게 될 사람의 수가 계획한 것보다 늘어난다면 그 데이터를 전부 처리하지 못하게 될 테고, 무리해서 처리를 시킨다고 해도 계산 오류가 발생할 가능성이 커져. 단순히 시간만 더 걸리는 문제라면 무리라도 해보겠지만, 그러다가 만약 데이터 처리 과정 자체에 문제가 생길 경우…."

그 말을 듣던 창우가 마른침을 삼켰다.

"즉, 한 명, 한 명이 추가되면 될수록 무사히 탈출하는 확률이 줄어드는 거야. 시뮬레이션 결과로는 현재도 80퍼센트를 넘지 않거든."

도진의 자신만만한 태도로 보았을 때 당연히 100%에 가까운 확률로 탈출에 성공하리라 믿었던 창우는 긴장하며 물었다.

"80퍼센트를 넘지 않아? 그러면 정확하게는 몇…."

"지금까지의 시뮬레이션 결과로는, 77.273퍼센트야. 그것도 처음 계획대로 했을 때 그렇지. 계획에 없던 사람들이 포함된다면 확

154

률이 더 떨어지게 돼. 나는 계획에 없던 것까지는 계산해보지 않았으니 그 수치는 말할 수 없어. 50퍼센트가 될 수도, 10퍼센트가 될 수도 있지."

창우는 순간 다리에 힘이 풀리는 것을 느꼈다.

이 상황에 77%라는 것은 운에 맡겨야 한다는 것과 크게 다를 게 없는 확률이다. 기상예보에 비가 올 확률이 77%라고 해도 우산이 필요 없는 경우가 꽤 있을 텐데, 생존이 걸린 상황에 77%라면 확률값이라는 개념 자체에 의미가 없다. 게다가 모든 변수를 입력하지 않았을 가상의 환경에서 시험한 확률 계산 값이라면, 실제 상황에서는 그 확률조차 보장이 안 된다고 봐야 한다.

도진의 설명을 들은 창우는, 어째서 도진이 이토록 예민하게 구는지 이해가 되다 못해 공감까지 될 정도가 되었다. 그리고 그는 무기력해짐에 더는 질문을 이을 수 없었다.

"그래…. 무슨 말인지 알겠어. 그럼, 10월 5일. 그날 정확히 시간에 맞춰서 올게. 나를 포함한 다섯 명이 함께 올 거야. 아니, 네 명이 될 수도 있겠다."

창우는 예은을 떠올렸다. 예은은 가족들과 함께할 수 없는 상황이 되었다. 혼자만 생존할 수 있는, 아니, 생존의 기회를 얻게 되는 것이다. 이 사실을 그녀에게 전한다면 아마도 그녀는 위기로부터의 탈출을 거부할 수도 있다. 그녀의 성격으로 봐서는 분명히 거부할 것이다.

창우는 도진에게서 등을 돌려 원래 왔던 길로 걸음을 옮기기 시작했다. 그러던 중에, 그를 바라보고 있던 진성이 길을 가로막고 어떤 자그마한 무언가를 창우의 목덜미에 붙였다. 그것은 도청장치였다. 창우는 자신의 목에 붙은 끈적하고 딱딱한 물체를 고스란히 느꼈다.

그것을 붙인 진성은 창우에게, 다시 이곳에서 만날 때까지 그것을 제거하지 말 것을 강요했다. 창우는 자신이 이미 잘못한 부분이 있으므로, 어쩔 수 없이 그 어떤 저항이나 불쾌감을 나타내지 못하고 동의를 하였다. 그리고 진성이 요구한 것은 한 가지가 더 있었다. 그것은 영어와 한글로 된 모스 부호를 완전하게 외워오라는 것이다. 그 요구에 대한 이유가 궁금했으나 창우는 물어보지 않기로 했다.

창우는 들어왔던 길을 통해 다시 밖으로 나갔다. 여전히 밖은 어두웠고, 고요하다 못해 방음실 안에 들어와 있는 것 같은 먹먹함까지 느껴질 정도이다.

그는 그대로 차의 전원을 켜고 출발을 했다. 그는 머릿속이 텅 빈 것 같은 느낌이 들었다. 아무런 생각도, 감정도 들지 않았다. 심지어 자신이 운전하고 있다는 사실조차 제대로 인지할 수 없는 상태가 되었다.

그런 상태가 된 이유가, 곧 닥칠 위기에서 모든 가까운 사람들과 함께 탈출하지 못한다는 사실 때문인지, 예은과 헤어질지 모른다는 예상 때문인지, 그것도 아니라면 네닉 시스템을 통한 생존 확률이 생각보다 낮다는 것 때문인지는 그 자신도 알 수 없었다.

그는 그렇게 뻥 뚫린 고속도로의 바닥에 그어진 차선만 멍하니 바라보며 목적지를 향해 달렸다.

탈출 준비

우주 어딘가로부터의 불청객이 지구로 들이닥칠 예정일이 GEA 본부를 포함한 각국의 지부에서 확정되어, 각국의 정부와 정보기관에 공유되었다. 그 예정일은 10일 후이다.

국내의 각종 온라인 커뮤니티와 사회관계망 서비스 등에서는, 새벽마다 큰 화물 트럭들이 줄지어 경부고속도로와 중부내륙고속도로를 달리는 모습이 목격되었다는 소식이 퍼지기 시작했다. 새벽에 대형 트럭들이 고속도로에서 다수 목격되는 것 자체는 특별히 이상할 것 없는 평범한 일상의 모습일 수 있지만, 현재 그 사실이 논란거리가 되는 이유는 그들의 목적지가 한군데라는 것 때문이다.

한적한 새벽에 달리는 대다수 트럭의 목적지는 오로지 김해국제공항 인근의 한 지점에 집중되어 있었다. 그럴만한 사정이 없음에도 어느 순간부터 갑자기 대형 트럭들이 줄지어 한곳을 향해 달리는 것은 분명 이상해 보일 수밖에 없다.

그렇다고는 해도, 그 사실을 통해 진실을 유추하는 사람들이 많지는 않았다. 애써 지구적 위기 정보를 민간에 알리지 않으려는 GEA를 포함한 각국 정부와 기관들의 노력 덕분에, 국내외 대중들은 '이상한 천체와의 충돌'이라는 사실 자체를 이미 잊은 상태이다.

다만, 진실을 정확히 알고 있는 소수의 사람만 그것을 두고, 본격적인 생존 준비의 시작이라는 것을 눈치챘을 뿐이다.

창우가 활동 중인 '생존클럽'의 정보 담당자들이 확인한 바로는, 그 트럭들에는 귀중품과 특별한 예술품, 그리고 식품을 비롯하여 생존에 필요한 각종 물건이 실려있다고 한다. 그리고 그 트럭에서 내려진 물건들은 정체를 알 수 없는 사람들과 군인들의 호위하에 대기 중이던 항공기들에 실려졌고, 물건이 한계치만큼 실려진 항공기들은 즉시 공항을 떠나 어딘가로 향했다는 내용까지도 확보가 되었다.

그리고 생존클럽에서도 살아남는 것을 목표로 한 괄목할만한 성과물이 나왔다. 두꺼운 금속재와 콘크리트, 그리고 각종 보호용 재료가 듬뿍 가미되어 지어진 대피소가 강원도 깊은 산속의 어느 한적한 장소에 마련되었다. 그리고 8명씩 탑승하여 전천후 어디로든 시속 200km 이상의 속도로, 별도의 연료 보급 없이도 7시간 동안 움직일 수 있고, 물 위에 가만히 떠 있을 수도 있는 개조형 에어카 30대가 제작되었다.

위기 상황에서 수개월 동안 머무를 수 있는 대피소와 어디로든 재빨리 달아날 수 있는 획기적인 이동수단이 완벽하게 마련되었으나, 지금 다가오는 괴물체의 충돌로부터 확실히 몸을 보호할 수 있을지는 의문이다.

물론, 그러한 점은 생존클럽 구성원들도 인지하고 있다. 그저 각자가 할 수 있는 한도에서의 최신을 다한 것뿐이다. 즉, 현시점의 인간이 우주 차원의 위협에 맞서기 위한 최대한의 저항이다.

각자의 역할대로 준비가 완료된 이후 어느 날, 창우는 괴물체가 지구에 초근접 하는 날짜를 모두에게 공유하였다. 물론, 그 정보의 출처를 '차도진'이라고 말할 수는 없으므로, 우연히 어딘가에서 알게 된 척했다. 그것이 그가 처해있는 상황에서 이 모임의 사람들에게 베풀 수 있는 최선이다.

생존클럽의 구성원들은, 몇 개월 동안 모여 서로 의지하던 이 장소에 이제 더는 오지 않을 것이다. 그때가 올 때까지 각자의 방식으로 현재의 지구를 마음껏 즐기기 위해서이다. 모두는 예정일 이틀 전에 대피소에서 다시 모이기로 했다. 창우는 거기에 한마디 말을 더 곁들였다. 그것은 누군가가 약속된 시간 안에 오지 않더라도 기다리지 않고, 계획된 시간이 되면 대피소의 문을 걸어 잠그라는 내용이었다. 그리고 모두는 그 말에 동의했다.

창우와 조근석은 그날 생존클럽에서 마련한 대피소로 가지 않을 것이 확실하고, 예은은 도진의 주도하에 개발된 이른바 탈출기 사용자 명단에 자신의 가족들이 포함될 수 없다는 사실을 아직은 모르고 있었으므로 그 여부가 명확하지 않다.

창우는 생존클럽 구성원들과의 인사를 마쳤다. 창우로서는 그들과 마지막이 될 인사였다. 그리고, 그렇게 모두가 아지트로 사용하던 주택에서 흩어진 후, 창우는 예은과 함께 도로변을 걸었다.

언제나 그랬듯 도로에는 부지런히 일상을 보내는 사람과 차들로 가득하고, 가로등도 평온하게 제구실을 하고 있으며, 높은 건물의 창문으로 삐져나오는 조명 불빛들도 이 도시를 아름답게 수놓고 있다. 괴물체 따위는 영원히 이 지구 근처에 얼씬도 하지 않을 것처럼 모든 것이 평범하고, 조화롭고, 안정적이다.

그렇게 차들이 지나가는 소리로 조금은 시끄럽기도 한 도롯가, 늦은 시간임에도 어느 목적지를 향해 바쁘게 움직이는 사람들로 넉넉하게 찬 인도를 걷던 창우는 자신의 옆에서 함께하고 있는 예은을 슬며시 보았다. 그러고는 자신의 아랫입술을 침으로 살짝 적시고는 그녀를 향해 조심스럽게 말을 꺼냈다.

"저, 예은아."

"응?"

그때 순간, 창우는 자신의 목덜미에 도청장치가 붙어 있다는 사실을 인지했다. 그래서 그녀에게 꼭 해야 할 말만 간략하게 하기로 하고 심호흡을 한번 한 후 말을 이었다.

"우리, 이 지구를 떠나는 일에 대해서 말인데."

"응."

뜬금없는 그의 진지한 말투와 표정에, 예은은 무언가 일이 잘못되었거나 문제가 생겼는지 걱정이 된다는 듯 창우의 얼굴을 빤히 바라보며 그의 다음 말을 기다렸다.

"그게…. 그 탈출기로 떠날 수 있는 인원이 한정되어 있어서, 너만 갈 수 있을 것 같아. 도진이와 그렇게 얘기가 되었어."

예은은 김샌다는 표정을 잠시 지어 보였다. 그러고는 다시 걱정스러운 표정을 나타내며 응했다.

"그러면, 클럽 멤버들과 조근석 씨는 결국 함께 갈 수 없다는 거네."

"그것도 그런데…. 너 혼자만 가야 한다고."

순간 예은은 맥락 없는 창우의 말에 무언가 대꾸를 하려다가 잠시 생각하고는, 그 말의 의미를 알게 된 듯 그 자리에 우뚝 멈춰섰다.

"그럼…. 오빠랑 나랑만 그걸로 떠날 수 있다는 말이야?"

"저기, 그게…. 정확히는 나와 우리 가족들, 그리고 너. 이렇게 참여할 수 있다는 말이야."

예은은 동그래진 눈으로 창우를 가만히 바라보았다.

"어째서 그렇게 되는 거야? 우리 부모님과 동생은?"

창우는 마주 오는 사람들을 피해 인도의 가장자리로 예은을 이끌고는, 그 이유를 설명하기 시작했다. 그러자 예은의 눈에 눈물이 고여, 살짝만 건드려도 그 눈물이 폭포수가 될 것 같은 정도가 되었다.

"그 도진이라는 사람을 충분히 설득해 본 거야? 오빠는 그의 그 말을 듣고, 곧이곧대로 그러겠다고 한 거야?"

창우는 예은에게 그날 있었던 일과 탈출기의 한계를 예은이 이해하기 쉽도록 조금은 미화하여 설명하였으나, 예은은 자신의 가족은 포함되지 않았다는 사실에 감정이 북받쳐 그의 설명을 제대로 듣지 않았다. 그러자 창우는 자신의 목덜미에 있는 도청장치를 의식하며 예은의 감정을 달래기 위해 애를 썼다. 하지만, 그의 노력은 전혀 통하지 않았다.

"오빤, 오빠는 가족들과 그걸로 떠날 거야?"

"응? 응…. 아무래도, 당연히 그래야지."

사실, 예은의 반응은 창우가 이미 예상한 대로 흘러가는 중이다. 결국 예은은 그 자리에 주저앉아 눈물을 흘리기 시작했다. 그리고 창우는 그런 그녀의 곁에서 그 모습을 그저 지켜볼 수밖에 없다. 그 어떤 행동이나 말도 지금 그녀의 감정을 달랠 수 없다는 것을 그도 잘 알고 있다.

그렇게 10분이 지났다. 분명 감정이 정리되지 않았을 테지만, 예은은 어떤 준비 동작도 없이 자리에서 벌떡 일어나 얼굴로 흐른 눈물 자국을 가방에 있던 손수건으로 닦았다. 창우는 아직도 그저 가만히 그런 그녀를 지켜보았다.

일시적이나마 솟구쳤던 감정을 추스른 예은은 목에 무언가가 걸린 듯한, 조금 전보다 걸걸해진 목소리로 창우에게 말을 건넸다.

"이런 모습 보여서 미안. 나와 부모님, 동생은 클럽 멤버들하고 대피소로 가면 되니까 괜찮아. 그런데, 오빠가 말했듯이, 아무래도, 도진이라는 사람이 만든 그걸 쓰는 게 살아남을 가능성은 더 큰 거지?"

창우는 탈출기를 통해 생존할 수 있는 확률이 77% 정도라는 것을 떠올렸다. 대피소와 탈출기, 그 둘 중 어느 쪽이 더 가능성이 클지는 당장 결론 내기가 어렵다. 다만 그 방식을 놓고 봤을 때는 도진이 만든 탈출기 쪽이 훨씬 더 낫다. 확률값이라는 숫자놀음을 제외하고 본다면, 거대한 파도를 나무판자 뒤에서 직접 맞서는 것보다 그 파도 자체를 피해 멀리 달아나는 편이 나을 것이기 때문이다. 어쨌든 그의 머릿속에 떠오른 확률값이라는 것은 큰 의미가 없는 상황이기 때문에, 그 물음에 어떻게 답을 해야 할지 망설이다가 짧게 답했다.

"그렇지. 내 생각엔."

그 대답을 들은 예은은 창우로부터 시선을 떼며 말을 이었다.

"오빠는 그걸로 떠나. 나는 나대로 살아남기 위해 애써볼게."

그제야 지나가는 사람들이 자신들을 힐끔거리며 보고 있다는 것을 깨달은 예은은 말없이 자리를 떠나기 시작했고, 창우는 그런 그녀의 곁을 빠르게 쫓았다.

"예은아…. 어디 근처 카페에 가서 얘기나 더 하고 들어갈래? 아니면, 오늘 밤은 함께 있을까?"

예은은 차분하지만 냉정함이 묻어나는 말투로 답했다.

"아니. 집에 갈래…."

그 짧은 대답 후 이어지는 침묵에 창우는 더는 말을 잇지 못했고, 잠시 후 각자의 보금자리를 향해 서로의 발길이 멀어졌다.

창우는 마음이 심란하다 못해 답답할 정도가 되었다. 이 상황을 타개할 수 있는 좋은 방법이 없을지 고민이 되었다. 그러나 그의 머릿속에서 떠오른 방법이란, 생존 확률을 더 낮출지언정 어떤 식으로든 도진을 설득하여 최소한 세 명을 더 추가시키거나, 자신이 스스로 그 기계의 원리와 설계를 익혀 인원이 더 추가되더라도 생존 확률에 변화가 없도록 장치의 개선을 진행해보는 것이다.

하지만, 두 경우 모두 쉽지 않은 일인 것은 명백하다. 무리하게 그것을 시도하다가는, 어쩌면 도진과 그의 일당들이 창우를 완전히 배제하게 될지도 모른다. 그리고 뛰어난 재능을 가진 이가 오랜 연구와 제작을 한 그 장치를 단 며칠 만에, 그것도 그저 평범한 창우가 해낼 수 있을 리는 만무하다.

예은이 혼자서라도 창우와 함께 이 지구를 탈출한다면 지금 상황에서는 그나마 최선이라고 볼 수 있겠지만, 그렇다고 그의 마음이 마냥 편해질 리는 없다. 예은이 혼자 그와 함께했으면 하는 욕구는 결국 창우 자신만을 위한 일이기 때문이다.

그렇게 창우는 복잡한 마음으로 몇 날을 보내야 했다.

도진과 약속된 날짜로부터 사흘 전인 10월 2일 저녁 7시. 창우는 다시 예은을 만났다. 이전에는 서로 꽤 살갑게 지냈지만, 이제는 마치 처음으로 소개받는 자리에서 만난 것처럼 서로를 어색하게 대했다.

예은의 집 근처 조용한 식당에서 마주한 둘은, 창우가 먼저 말을 건넴으로 대화가 시작되었다.

"나와 함께 갈 생각은 없는 거야?"

예은은 그저 무표정하게, 그 어떤 망설임도 없이 즉시 답했다.

"그럴 수 없어."

"그래…. 아마 내가 너의 입장이었어도 그랬을 거야."

창우는 예은과 함께하지 못하는 상황이 무척이나 아쉬웠다. 어떻게든 예은과 함께 탈출하고 싶었다. 하지만, 그녀의 의사에 반해, 그리고 가족들과 틸어트러 놓을 그 요구를 빈복한다는 것은 결국 창우 자신만의 욕심을 채우는 일이 될 뿐일 것이다.

그리고 예은은 언제나처럼 차분한 목소리로 말을 꺼냈다.

"괜히 오빠에게 싫은 내색을 보여서 미안해…. 내가 내 생각만 한 것 같아. 오빠가 결정한 것도 아니고 어쩔 수 없는 상황인데, 나도 모르게…."

"아냐. 이해해. 너에게 어떻게 그 상황을 설명해야 할지 고민 많이 했어. 그리고 네가 그 제안을 거절할 거라는 것도 예상했었고."

예은의 얼굴은 평정심을 담은 말투와는 다르게, 입과 눈 주위가 씰룩거리면서 평온하지 못함을 나타내기 시작했다. 그리고 가뭄에 말라 있던 땅에 갑작스러운 소낙비로 웅덩이가 생기듯 그녀의 눈에 눈물이 고였다. 그녀는 억지로 울음을 참는 듯했으나, 창우가 건넨 휴대용 티슈 한 팩을 보고는 결국, 그녀의 얼굴에는 천둥 번개를 동반한 소낙비가 내렸다.

그녀가 눈물을 보인 이유가 구체적으로 무엇 때문인지는 알 수 없었다. 아마 여러 가지로 복잡한 심경에서 나타난 감정의 결과물일 것이다.

창우는 가만히 그녀를 지켜보았다. 그리고, 그 역시도 담담하게 참고 있던 감정을 겉으로 드러내기 시작했다. 그는 그녀에게 건넨 티슈 팩을 다시 자신의 몸쪽으로 가져와 두 장을 빼 들고는, 자신의 얼굴과 콧구멍에 가져다 댔다.

사실 창우는 오늘 예은을 이렇게 만나기 전까지만 하더라도, 그녀가 혹시나 마음이 바뀌었을까 조금은 기대를 했다. 그랬기에 평정심을 유지할 수 있었다. 하지만, 지금 예은의 표정을 본 순간 현재의 상태로는 그럴 가능성이 없겠다고 생각한 것이 그의 부정적 감정을 자극한 것이다.

그렇게 몇 분쯤이 지나, 예은의 코가 빨개져 있긴 했지만 흐르는 눈물은 멈춘 상태이고, 창우는 잠깐 고였던 눈물을 이미 걷어내고는 스마트폰을 꺼내어 들어 무언가를 하기 시작했다. 그리고 곧 그것의 화면을 예은의 눈앞에 가져다 댔다.

'지금 내 목 뒤에 위치추적기와 도청장치가 붙어 있어. 도진과 그 일행을 자극하지 않으려면 탈출기와 관련된 말은 최소화해야 해.'

예은은 그가 내민 스마트폰 화면을 가만히 보고는 시선을 그의 얼굴로 옮겼다. 그러자 창우는 다시 스마트폰을 자신의 몸쪽으로 가져온 후 계속해서 글자들을 타자했고, 다시 그것을 예은에게 보여주었다.

'난 10월 5일 오전 9시까지 탈출기가 있는 장소로 가야 해. 내가 최대한 너의 가족들까지 모두가 그걸로 탈출할 방법을 찾아볼

167

거야. 물론 쉽지는 않을 것 같아. 난 그냥 이 말만 하고 싶어. 너에게는 큰 의미가 없는 말이겠지만, 떠나는 순간까지도 최선을 다해볼게.'

그 문장들을 모두 읽은 예은은, 그것에 어떤 긍정도 부정의 표현도 하지 않은 채 그저 말없이 창우의 얼굴을 보았다. 그리고 무언가 할 말이 있다는 듯 입술을 씰룩거렸지만, 그것을 내뱉지는 않은 채 침묵을 유지했다. 그러더니 갑자기 그녀가 미소를 지었다.

"괜히 분위기가 이렇게 되었네. 어쩔 수 없는 일인데. 탈출기를 내가 예약한 것도 아니고, 오빠 덕분에 끼어서 갈 기회를 얻은 것뿐인 내가 괜히 오빠 앞에서 못난 꼴을 보인 것 같아."

예은의 말에 창우는 마음이 더 무거워졌다. 어쩔 수 없는 상황이긴 해도, 차라리 창우에게 화풀이하거나 섭섭하다는 감정 표현을 한껏 하는 편이 더 마음이 놓일 것 같았다.

그때부터 그녀는 평소처럼 미소를 지었다. 억지가 아닌, 진짜 미소이다. 아마도 순간 자포자기를 함으로써 마음의 평화를 얻었거나, 또는 창우의 근심을 덜어주려는 진심의 배려일 것이다. 어쩌면 그날이 올 때까지 즐겁고 행복하게 시간을 보내는 것이, 바꾸기 어려운 상황으로 인해 부정적인 감성에 휩싸여 있는 것보다는 훨씬 낫겠다는 현명한 판단을 한 것일 수도 있다. 그녀가 그러면 그럴수록 창우의 마음은 더욱 무거워져만 갔지만, 이내 그 역시도 그녀의 마음에 동조했다.

168

이제 정체를 알 수 없는 괴물체가 이 지구와 접촉할 날이 정말로 얼마 남지 않았다.

그리고 그날 밤, 텔레비전과 라디오를 비롯한 모든 방송 통신 매체로부터, 진행자들의 격앙된 목소리로 보도가 송출되기 시작했다.

"긴급 속보를 전해드립니다. 세계 각국 정부에서 소행성 충돌 위기 재난 상황을 알리는 공식적인 발표를 시작했습니다. 현재 500km 크기로 추정되는 정체 미상의 소행성이 지구와 근접했고, 진행되는 경로를 보았을 때 지구와의 충돌이 예상됩니다. 우리나라 정부에서도 비상상황이 선포되었으며, 약 10분 후 대통령이 직접 현재 상황에 대해 대국민 담화를 발표할 계획입니다. 지구와 충돌 예정이라고 지목된 소행성은 현재,"

대부분의 방송 채널이 긴급 속보 화면으로 전환되었다. 그리고 각종 방송 매체와 온라인 사회관계망서비스를 통해 한 천체와 지구와의 충돌 예정 소식이 굉장히 빠른 속도로 전해지기 시작했다. 이번에는 그 누구도 가짜라고 하지 않는, 진짜 뉴스가 되어 퍼지고 있는 것이다.

정부에서는 전쟁이나 재난 시 이용이 가능한 대피소와 시설을 모두 개방했다. 가능하면 지하대피소를 비롯하여 지하시설로 서둘러 피신하라고 권하였고, 그러지 못하면 집안의 창문을 단단한 자재나 접착테이프 등을 붙여 막은 후, 텔레비전이나 라디오, 휴대전화 재난 알림 등을 수시로 확인하며 밖으로 나오지 않을 것을 강조했다.

사실, 그것은 아무런 의미 없는 권고였다. 다가오는 괴물체에 대한 정부의 대피요령 알림은 그저 형식적이고 정해진 재난 안내서를 읽어주는 것에 불과하다. 그리고 국민에게 '생존'이라는 단어를 사용하거나 뉘앙스를 주지 않았다. 국민이 그저 중형급 태풍이 온다는 느낌 정도로 인식하도록 하는 것이다. 그것은 불순한 의도가 있다기보다는, 현실적으로 대부분 사람은 그것에서 피할 수 없으므로, 과도한 공포에 빠지지 않도록 하기 위한 하나의 방편이자 희망을 심어주기 위한 목적이다. 위기상황에서 희망이란 에너지의 원천이기 때문이다.

그동안 어떤 천체와의 충돌설은 그저 근거 없는 거짓 소문이라고만 알고 있던 전 세계의 대다수 사람은, 시차를 둔 각국 정부의 공식 발표에 당황하여 우왕좌왕하기 시작했다.

먼저, 각 매장에서 판매 중인 식품들이 사재기로 인해 순식간에 바닥나고 있다. 전국 대도시의 마트와 식료품점에서 식품이 동나는 데는 3시간이 채 걸리지 않았다. 심지어 거금을 주어도 원하는 물품을 사들이지 못하는 경우까지 생겨나고 있다.

상황이 그러하니 식품 제조공장이나 창고, 농축산업소 등 먹거리와 관련된 곳은 도둑으로 돌변한 일부 민중이 돌격하는 첫 번째 목표가 되었고, 생활용품이나 각종 피난 용품 부문도 상황은 비슷하다.

그렇게 상품을 조용히 훔쳐만 가는 경우는 그나마 신사적이라 볼 수 있고, 폭력적 행위로 그것들을 거머쥐는 경우도 많이 발생했다. 그리고 그중에는 필수품 입수가 목적이 아닌, 기다렸다는 듯 그저 무질서를 조장하려는 자들도 꽤 섞여 있었다. 단순히 어떤 상품의 입수를 목적으로 둔 사람들보다, 그러한 난동꾼들이 실제 폭동을 이끌고 있었다.

하지만 이러한 상황에서도 몇몇 국가들에서는 다행히 사회의 질서가 완전히 깨지지는 않고 있다. 강력한 공권력이라거나 수준 높은 시민의식으로 인한다기보다는, 폭력을 폭력으로 제압하기 때문이다. 어차피 질서가 무너지고 있는 상황에서 공권력이 곳곳에 손을 뻗기 힘든 수준이 되자, 생존 의지가 충만한 사람들 역시도 생존에 방해되는 장애물에 무법 심리로 대했다.

세상이 정말로 끝난 것처럼 난폭 행위를 하며 질서를 무너뜨리거나 위기 상황에서의 흥분으로 인해 날뛰는 자들은 오히려, 생존의 희망을 품은 대다수가 행하는 폭력으로 제압당했다. 일반적인 사회적 개념의 선과 악의 대립에서, 다수를 차지하는 선이 우세한 덕분이다. 선이 다수를 차지하는 것은 다행인 일이다.

한편, 그런 상황에서도 창우와 예은이 속해 있는 '생존클럽'의 구성원들은 정해진 날짜에 가족 그리고 일부 지인들과 함께 차분하게 자신들이 만든 대피소로 향했다. 그들은 이미 식료품과 생활에 필요한 각종 물품을 대피소 안으로 미리 넉넉히 갖추어 두었기 때문에 분주히 움직일 필요가 없었다.

그런데, 혼란을 피해 원만하게 대피소로 이동하는가 싶던 그들에게 예상을 비껴가는 일이 발생했다. 최대 500명 정도가 입주하도록 설계된 그곳에는, 유명 기업에서 방금 막 출시한 따끈따끈한 신제품을 구입하기 위한 사람들로 가득 찬 매장처럼 북적였다.

그들이 심려를 쏟아 만든 대피소는 당연히 공간의 한계가 있으므로, 이와 관련이 없는 사람들의 접근을 막기 위해 비밀을 유지하려 했지만, 다수가 엮인 일에 완전한 비밀유지는 없다는 것을 증명이라도 하듯 어떻게 알고 왔는지 불청객들이 다수 섞였다.

그 때문에 한창 예민해져 있던 클럽 구성원 중 일부는 그런 사람들을 내쫓기 위해 실랑이를 벌였고, 또 일부는 그들도 수용하자고 주장했다. 그리고 소문을 듣고 온 불청객들은 쫓겨나지 않기 위해 바닥에 드러눕는 수준으로 버텼다.

결국, 창우와 조근석 일행이 빠진 상황에서도 대피소 수용 인원은 원래 계획에서 200% 정도로 초과했지만, 안전과 상생을 위해 어쩔 수 없이 외부인 모두를 받아들일 수밖에 없었다.

"창우는 없네. 같이 안 왔어?"

생존클럽 구성원 중 하나이며, 이번 프로젝트에서 금전적 지원을 담당했던 김인찬이 예은에게 물었다.

"급한 볼일이 있어서 나중에 온다고 했어요…."

예은은 창우가 이곳에 오지 않을 것을 알지만, 말의 끝을 흐리며 거짓으로 둘러댔다. 이곳의 사람들이 현재 창우의 행방을 알아봤자 서로에게 도움이 되는 것이 전혀 없을 것이고, 그것과 관련한 불필요한 대화들만 오갈 것이 뻔하기 때문이다.

"응? 근석이도 없네. 설마하니 근석이가 날짜를 착각한 것은 아닐 테고. 무슨 일이 생겼나?"

며칠 전 창우는 근석에게 거짓말을 했다, 도진이 만든 탈출 시스템이 있는 곳에 가야 하는 날을 10월 5일이라고는 정확하게 알려줬지만 시간을 틀리게 알린 것이다. 그래서 근석은 밤늦은 시간에 그곳에 도착할 것이다.

도진은 조근석의 참여를 허락하지 않았기 때문에, 창우로서는 어떻게든 조근석을 배제할 수밖에 없다. 창우는 이제 막 데뷔한 연기자가 카메라 앞에 선 것처럼 어색한 모습으로 근석에게 그 내용을 전했으나, 근석은 그것을 눈치채지 못했는지 조금의 의심도 없이 밝은 표정을 보였다.

위기 속의 위기와 탈출 과정의 시작

10월 5일, 하루 중 가장 짙은 어둠을 가지고 있는 새벽, 시계의 시침이 숫자 3을 가리키고 있는 시각.

어느 주택가의 빌라 3층에서, 새벽의 어둠과 대결이라도 하려는 듯 유난히 환한 조명등 불빛이 작은 창문 몇 개를 통해 밖으로 삐져나오고 있다. 그리고 그 집 안에서는 한 남자가 등에 작은 가방 하나를 메고는, 혹시 무언가 중요한 물건이 빠지지는 않았는지 확인을 하는 듯 집 구석구석을 빠른 몸짓으로 살피고 있다.

"하아…. 이 물건들은 다 두고 가야겠지?"

그는 언젠가 심사숙고하며 고른 것이 분명해 보이는 대형 텔레비전과 비디오 게임기, 그리고 각종 책과 아끼던 장식품 등을 뚫어지도록 바라보는가 하면 손으로 어루만지기도 하며, 아쉽다는 눈빛과 함께 그 물건들 앞에서 서성였다.

그렇게 잠시 머무는가 싶더니, 현관 근처의 벽으로 가 다시 한 번 고개를 돌려 주변을 둘러본 후, 손으로 벽에 있던 어떤 스위치를 작동시켰다. 그러자 '탁'하는 소리와 함께 집안이 완전하게 컴컴해졌다.

그가 현관문을 열고 빠져나와 문을 닫으니 자동잠금 장치가 작동하며 모터 소리와 함께 문이 잠겼다. 그는 왜인지 문의 손잡이를 가만히 지켜보고는, 몸을 돌려 계단을 통해 천천히 발걸음을 옮기며 아래로 내려갔다. 그리고 곧 건물 출입문 바로 앞에 주차되어 있는 중형 SUV 차량에 다다랐다.

차 안에는 사람이 겨우 앉을 자리를 제외하고는 빈틈이 없을 정도로 여러 물건으로 가득 차 있고, 실내 좌석에는 그를 제외한 세 명의 사람들이 이미 앉아 있는 상태이다.

"창우야, 필요한 짐은 다 챙겼니?"

뒷자리에 있던 50대 후반의 여성이 열린 차창으로 머리를 살짝 내밀며 그에게 물었다.

"네. 꼭 필요하다고 생각되는 것들만 가져가면 돼요."

얼마 전 도진이 창우에게 물건들을 챙겨오지 말라고 일렀기에 창우는 그 말을 따르며 작은 가방 안에 몇 가지 당장 필요한 물건들만 챙겼을 뿐이지만, 그의 가족들은 그 사실을 몰랐기에 집안의 값비싼 물건이란 물건은 다 쓸어와 가지고 온 터였다.

그리고 조수석에 앉아 있는 60대의 남성이 말했다.

"어서 출발하자. 늦겠다."

"네."

자동차 운전석의 문을 열고 그 안으로 몸을 넣으려던 그는 문득 무슨 생각이 들었는지 다시 몸을 차 밖으로 빼내고는, 가만히 서서 고개를 젖혀 하늘을 보았다. 그의 얼굴에는 온갖 감정들이 뒤섞인 듯 한가지로 설명하기 어려운 표정이 드리워 있다.

'이제 가야 할 그곳에도 저렇게 많은 별이 있을까?'

창우는, 고개를 들어 밤하늘을 보면 항상 거기에 별이 있다는 것을 신경 쓰지 못한 채 지낸 것이 후회스럽다는 듯, 그리고 선명하게 눈에 담으려는 듯 하늘에 촘촘히 박힌 별들을 잠시 감상했다. 도심의 광공해로 인해 제대로 보이는 별이라고 해봤자 손가락과 발가락으로 꼽을 정도밖에 되지 않지만, 그나마 어둠이 깔린 새벽이기에 그 정도라도 볼 수 있다.

잠시 그러고 있던 그는 조금은 굳은 표정으로 운전석에 올라탔다. 그리고 곧 잔뜩 무거워진 차는 힘겨운 모습으로 천천히 골목을 빠져나와 큰 도로를 통해 고속도로로 접어들었고, 차는 속도를 높여 미끄러지듯 달렸다.

창우는 평소와는 다르게 운전에 집중이 되지 않는지 계속해서 좌측 창문으로 시선을 돌렸다.

'이전에는 아무런 생각도 들지 않았던 거리 풍경이 지금에서야 이렇게 특별하게 보이네. 그곳에서도 이런 풍경을 볼 수 있을까?'

이 우주를 떠나 완전히 다른 차원의, 그리고 다른 환경의 땅으로 간다는 것을 알고 있는 창우는 한껏 감성적으로 되어 새삼스럽게 주변의 모습들을 눈에 담았다. 하지만 그와는 달리, 곧 있을 재난을 피해 어딘가로 가는 것이라고 대략적으로만 알고 있는 그의 부모와 누나는 그런 것들을 의식하지 않은 채 그저 편안히 차 안에 머무르는 중이다.

도로변으로 보이는 풍경 외에도, 평소와는 분명히 다른 몇 가지가 그의 눈에 띄었다. 동이 트려면 아직 한참 남은 시각임에도 마치 쾌청한 날씨의 휴일을 방불케 하는 도로 위 많은 차들과, 하늘을 날아다니는 정체 모를 항공기와 헬기들이다. 심지어, 고속도로임에도 짐을 잔뜩 실은 오토바이 행렬이 보이기도 했다.

위기 사태를 피하기 위한 각자 나름의 행동들이 이렇게 밤이 깊은 시간에도 나타나고 있는 것이다.

그렇게 5시간쯤을 달려, 차는 낯익은 어느 장소에 도착 후 전원이 꺼졌다. 그리고 차에서 혼자 내린 창우는 크게 기지개를 한번 켠 후, 자신의 왼쪽 손목에 채워져 있는 시계를 보았다.

'8시 30분. 다행히 늦지는 않았네.'

그러고는 노란빛의 햇살이 비스듬하게 비쳐 밝아진 주변을 두리번거리기 시작했다.

'여기서 기다리면 되는 건가?'

창우는 공장 건물 안으로 들어갈 수 있는 그 쪽문으로 다가갔다. 하지만 이전처럼 그 안으로 들어갈 수는 없었다. 문이 용접되어 있어, 더는 문으로 사용할 수 있는 상태가 아니기 때문이다. 그래서 창우는 도진이 했던 말을 되새기며 다시 차 안으로 들어갔다. 그러자 뒤에 앉아 있던 그의 누나가 그에게 말을 건넸다.

"그냥 이렇게 있으면 되는 거야?"

그러자 창우는 그저 무심한 표정과 말투로 응했다.

"일단 기다려봐."

창우의 누나는 그의 심란한 마음과 사태의 심각성을 아직 알지 못한 채 계속해서 창우에게 시비를 걸듯 말을 건넸다. 처음 몇 번은 큰 의미를 담지 않은 대화를 서로 주고받았으나, 이내 귀찮다는 듯 입을 닫아버린 창우로 인해 차 안은 다시 조용해졌다.

오전 9시 1분.

시간은 흘러 약속 시각이 되었다. 다시 차에서 내린 창우는 주변을 둘러보았으나 도진은커녕 그 어떤 사람의 모습도 보이지 않았다. 그는 갑자기 초조해졌다.

'어떻게 된 거야? 여기로 오라고 한 것이 맞는데, 어째서 아무도 나타나지 않지?'

9시 7분. 약속된 시간에서 7분이 더 지났다.

도진과 연락할 방법도, 들어갈 수 없도록 막아 놓은 이 건물 외에 그 지하시설로 들어갈 방법도 모르는 창우는, 급기야 초조함을 표현하듯 몸을 가만히 두지 못하고 반복적으로 움직이기 시작했다. 짧은 거리를 계속해서 왔다 갔다 하는가 하면, 손으로 머리를 긁적이거나 얼굴을 쓸어내리는 등 애써 긴장을 푸는 행동을 반복했다.

그리고 5분 정도가 더 지났을 때, 소형 승합차 한 대가 이 건물의 앞마당 진입로 바로 인근에 주차하는 것이 보였다. 한창 예민해져 있던 창우는 그 차의 행보를 가만히 살폈다. 하지만, 그렇게 정차되어있을 뿐 그다음의 어떤 움직임도 나타나지 않았다. 후미등이 켜져 있는 것으로 봐서는, 시동이 꺼지지 않은 채 안에서 누군가가 무언가를 기다리는 중일 것이다.

그것이 이상하다고 생각이 들 때쯤, 순간 창우의 머릿속에 번뜩 떠오르는 것이 있었다.

'그렇지! 내 목덜미에는 도청장치와 위치추적기가 붙어 있잖아. 그렇다면.'

창우는 헛기침을 한번 한 후 시선을 어색하게 둔 채 혼잣말을 시작했다.

"창우입니다. 들립니까? 지금 도착해 있습니다. 다시 말합니다. 처음 만났던 그 장소에 도착해 있습니다."

창우는 같은 말을 5번 반복한 후 멈췄다. 그 덕분인지 알 수는 없으나 갑자기 어디선가 묵직한 소음이 들려오기 시작하더니, 그 소리가 점점 커졌다. 그리고 곧 소리의 근원이 모습을 드러냈다.

검은색의, 장거리용으로 적합할 만한 오토바이 한 대가 우렁찬 배기음을 내며 창우가 운전해 온 차로 천천히 다가왔다. 하지만 운전자는 헬멧으로 얼굴을 가린 탓에, 그것이 가까이 다가왔음에도 그 정체를 알 수 없었다.

오토바이는 창우의 바로 코앞까지 와서 멈춰 섰다. 그리고 말했다.

"서쪽으로 세 블록 떨어진 곳에 주유소가 있습니다. 주유소의 사무실 안으로 들어와서 정면의 문을 열면, 바닥에 지하로 이어지는 통로 입구가 있으니 그쪽으로 들어오세요. 서둘러야 합니다. 15분.

정확히 15분 안에 들어와야 합니다. 만약 그때까지 시설로 들어오지 않으면 입구를 폐쇄할 겁니다."

그 목소리에서 그가 누구인지 충분히 알 수 있었다. 그는 창우의 동생인 진성이 분명하다.

창우는 이제야 안심이 된다는 듯 호흡을 길게 내뱉고는 가볍게 고개를 끄덕였다. 차로 세 블록 정도의 거리 이동에 주어진 15분은 넘칠 정도로 넉넉한 시간이다. 하지만, 어째서 굳이 15분이라는 시간을 책정했는지에 대해서는 의문이 들었다.

창우가 몸을 움직여 자신의 차로 오르려 할 때, 진성이 한마디를 더 내뱉었다.

"달고 온 불청객은 잘 따돌리고 오세요. 안 그러면 모두가 위험해지니까."

그 말을 마친 진성은 창우가 입을 벌리기도 전에 다시 우렁찬 배기음을 내며 어딘가로 출발했다.

"불청객이라니, 무슨…."

그때 창우의 시야에, 도로변에 정차한 수상한 그 차가 들어왔다.

"설마?"

창우는 어째서 진성이 15분이라는 시간을 주었는지 이해가 된다는 듯 입술을 깨물었고, 차 안에 있는 부모님과 누나에게 밖으로 나오지 말라고 당부한 후 조금은 빠른 걸음으로 그 수상한 차를 향해 걸어갔다. 그가 조금 전까지 가졌던 여유는 다시 초조함으로 변했다.

5m, 3m, 1m. 목표와의 거리가 점점 가까워졌다.

그 차에 도달한 창우가 인상을 찌푸린 채 그 안에 있는 누군가의 정체를 알아내려 하던 순간, 차창이 아래로 내려졌다. 그리고 곧바로 마주한 것은 조근석의 미소 띤 얼굴이다.

창우는 놀라 어쩔 줄 모른 채 그 앞에 우뚝 섰다. 그 어떤 행동도 말도 하지 못했다. 그리고 그런 그를 대신해 근석이 먼저 말을 꺼냈다.

"박창우 연구원. 좋은 아침이야."

심장박동이 빨라지고 있는 창우는 눈만 껌벅거리며 이 상황을 빠르게 판단하려 애를 썼지만, 당황한 나머지 필터링을 거치지 않고 내뱉은 말은 단순했다.

"어? 조근석 선임님. 여긴 어떻게…."

조근석의 표정이 굳어졌다.

"창우 씨야말로 왜 여기에 있는 거야? 우리 여기서 밤에 만나기로 했었잖아. 잊었어?"

"아…. 아, 저기, 그게…."

진성이 조금 전 창우에게 준 시간은 15분. 이제 13분 정도가 남았다. 창우는 무슨 말을 해야 할지 온몸의 에너지를 머리로 끌어올려 생각을 하기 시작했고, 그렇게 그의 내면이 심히 허둥대고 있을 때 그의 바지 주머니에서 휴대전화 벨 소리가 울리기 시작했다.

어차피 현재 마주하고 있는 상대에게 당장 어떤 말을 해야 할지 좋은 생각이 떠오르지 않던 창우는, 엉거주춤 손을 바지로 넣어 스마트폰을 꺼낸 후 그 전화를 받았다. 그러자 아주 익숙한 목소리가 들려왔다.

"창우 오빠."

예은이었다.

"응? 예은아. 어쩐 일로 이 시간에 전화를⋯."

"나⋯. 오빠 따라갈래. 그러기로 했어."

예은의 목소리에는 기운이 빠져있었다. 안 그래도 얇고 치분하던 목소리와 말투가 더 가라앉아, 알아듣기가 힘들 정도가 되어있었다. 그리고, 지하시설로 도착해야 할 진성이 준 시간이 이제 12분 정도가 남았다.

"너 지금 어디야?"

"오빠가 지난번에 알려줬던 그곳으로 가고 있어. 네비게이션에는 3분 남았다고 되어있네."

예은이 도착하면 약 10분이 남는다. 조근석을 따돌리고 도진과 진성이 기다리고 있을 그곳에 도착하려면 너무 부족한 시간이다. 그 때문에 창우는 혼란스러워 아무런 생각이 떠오르지 않을 정도가 되었다.

예은과의 전화통화가 끊겼고, 다시 조근석과 얼굴을 마주했다. 창우의 스마트폰이 들린 손이 떨리고 있다. 그리고 근석은 상대가 방어할 틈을 주지 않고 다시 공격을 시작했다.

"어떻게 된 거야? 지금 이 시간이 맞아? 아니면, 밤이 맞는 거야? 조금 전 오토바이 타고 온 사람이 그 사람이야?"

근석은 창우의 거짓을 알고 있다는 듯 비아냥거리는 말투로 말했다. 창우는 그저 멍한 표정으로 근석을 바라보았다. 그리고 의도치 않게 그의 시야에는, 근석의 옆에 앉아 있는 여자 한 명과 그

뒷좌석에 있는 몸집이 작은 세 명이 더 보였다.

"따돌려야 하는데….'

머릿속으로만 해야 할 생각이 불현듯 창우의 입을 통해서 흘러 나왔다.

"응? 따돌려? 뭘?"

창우는 아무 말 없이 근석을 등지고 자신의 차로 빠르게 걸었다. 그러는 사이 조금씩 정신이 돌아오고 있었다. 그는 얼른 왼쪽 손목에 걸려있는 시계를 보았다. 그리고 두 손으로 뺨을 세게 문지르며 생각했다.

'일단 예은이 도착하길 기다려야 해. 예은이 도착하면, 그리고…. 그다음에는….'

다시 생각이 꼬이기 시작했다. 창우가 운전해서 온 차 안에 있는 그의 가족들은 지금이 어떤 상황인지 전혀 알지 못한 채 멀뚱히 창우의 행동만 주시할 뿐이다.

창우가 예은의 도착을 기다리느라 다리를 가만히 있지 못하고 초조한 행동을 보일 때, 평소에도 성격이 급한 것이 분명해 보이는 그의 누나가 차의 창문을 열고는 말했다.

"야, 왜 그러고 있어? 9시라며. 아까 오토바이 타고 온 사람은 누구야? 저 차에는 왜 갔어? 응? 뭐 하는 거야?"

그러자 창우가 잔뜩 찌푸린 표정으로 언성을 높여 빠르게 말했다.

"아잇, 정말. 가만히 좀 있어!"

그의 그 말에 창우의 누나는 당황한 표정으로 잠시 그를 바라보더니, 무언가 일이 잘 풀리지 않고 있다는 것을 눈치채고는 창문을 올린 후 시선을 돌렸다.

그렇게 평소와는 많이 다르게 한껏 예민해진 창우가 초조함으로 인해 사고력이 저하된 상태로 발을 동동 구르고 있을 때, 소형차 한 대가 창우가 있는 쪽으로 빠르게 다가왔다. 예은이 운전하고 온 차이다.

그것을 본 창우는 그 차의 속도가 자신의 발걸음보다 훨씬 빠름에도 서서 기다리지 못하고 성큼성큼 그쪽을 향해 걸어갔다. 그리고 이내 서로가 마주했다.

"나 늦은 거야? 그 사람들은?"

예은은 고개를 두리번거리며 주변을 살펴 창우에게 말을 건넸다. 그녀의 눈과 코 주변에는 눈물을 흘린 자국이 너무도 선명하여, 마치 연극 분장이라도 한 것처럼 보인다.

그녀를 본 창우는 인사치레의 말을 다 빼고 지금 필요한 말만 빠르게 전했다.

"꼭 필요한 짐만 챙겨서 내 차로 와. 어서!"

그러자 지금 이 상황을 알 리가 없는 예은은, 평소에 들은 적 없는 그의 투박하고 급한 말투를 듣고는 입을 조금 삐쭉 내밀며 응했다.

"오빠 차로? 또 어디로 가야 하는 거야?"

"쓸데없는 말 하지 말고, 어서 움직여!"

창우는 죄 없는 예은에게 괜히 화를 내듯 말했다. 굳이 그녀의 잘못을 따지자면 기껏해야, 갑작스럽게 나타난 것과 예정 시간에서 조금 늦게 왔다는 것인데, 지금 창우의 기준에서 분명 그것은 큰 죄처럼 여겨졌을 것이다.

평소와 다른 창우의 모습에 예은 역시도 상황을 어느 정도 눈치채고 바쁘게 몸을 움직였다. 그리고 창우는 얼른 전원이 켜져 있는 자신의 차로 가 운전석에 앉았다.

"어서!"

예은은 두 팔과 손에 가방과 물건을 주렁주렁 매달고는 마침 문이 열린 창우의 차 안으로 빨려들어 오듯 탑승했다. 그와 동시에 창우는 가속 페달을 힘껏 밟아 그 공장 터를 빠져나갔고, 이내 도로에 올랐다.

그의 차는 요란한 소리를 내며 빠르게 내달렸다. 그리고 그와 함께 조근석의 차가 그 뒤를 따라붙기 시작했다.

창우는 곡예 운전을 하듯 신호와 중앙선을 무시하고 도로의 차들을 피해 목적지로 향했다. 그리고 제대로 된 이유도 모른 채 그 뒤를 따르는 조근석도, 그와 같은 동선으로 그 뒤를 바짝 따라붙고 있다.

"조심, 조심하거라. 왜 그러는 게냐?"

지금 창우는 주변의 그 어떤 소리도 들리지 않는다. 청각 센서로 가야 할 에너지를 시각 센서와 팔, 다리로 모두 집중시킨 까닭이다.

그렇게 마치 자동차 경주를 하듯 내달리던 창우의 차는 진성이 말한 그 주유소의 인근에 다다랐다. 창우는 룸미러를 보았다. 조근석의 차가 룸미러에 한가득 보였다.

창우는 목적지인 주유소를 중심에 두고 그 주변 도로와 골목을 지그재그로 달렸다. 하지만 조근석의 차 역시도 그 뒤를 바짝 쫓고 있어 차로 따돌리기엔 무리가 있다. 만약 시간이 조금만 더 넉넉하게 주어졌다면 지금보다는 창우가 유리한 입장이었겠지만, 단 몇 분 안에 조근석을 완전히 따돌리기에는 물리적인 한계가 분명하다.

'안 되겠어. 이제 3분 남았어.'

창우는 룸미러와 사이드미러를 빠르게 번갈아 보았다. 그러고는 무언가 결심한 듯 입에 힘을 주어 굳게 다물고는, 이제 한 방향을 향해 운전대를 돌렸다.

1분 후 그가 도착한 곳은 목적지인 그 주유소이다. 주유소는 폐점하였는지 간판이 내려져 있고, 주유기 역시도 전원이 차단되어 사용할 수 없는 상태이다.

급제동하여 차를 세운 창우는 소리쳤다.

"두 손에 들 수 있을 만큼만 짐을 들고, 저기 앞에 보이는 문으로 뛰어 들어가세요. 서둘러요. 어서!"

평소에는 접할 수 없던 창우의 다급하고 격앙된 말을 들은 그의 부모님과, 언제나 창우를 만만하고 장난스럽게 대하던 누나, 그리고 예은은 곧바로 팔을 휘둘러 손에 잡을 수 있을 정도의 짐만 챙겨 들고 차에서 내렸다. 창우 역시도 두 손에 자신의 물건 몇 가지를 쥔 채 운전석에서 뛰어내렸다.

그리고 그때, 조근석이 운전하고 있는 차가 굉음을 내며 접근하더니 창우의 차 바로 뒤에서 멈췄다.

"저기로 들어가면 바닥에 지하로 가는 통로가 있을 거예요. 그 입구를 찾아, 통로를 따라 이동하세요!"

모두는 창우의 말에 따라 급한 몸짓으로 사무실 건물 안으로 들어갔다. 그리고 조근석의 차를 빠르게 살핀 창우는 가장 마지막으로 그들의 뒤를 따랐다.

그러자, 그런 창우 일행의 모습을 관찰하던 조근석과 그의 아내, 그리고 세 아이가 동시에 차의 문을 열고 내려 창우에게로 달려오기 시작했다. 그들 역시도 두 손에 물건이 담긴 상자와 가방 등을 든 채이다.

마침 건물 안으로 들어가 있던 창우는, 조근석의 일행을 보자마자 문이 부서질 정도로 세게 닫은 후 손을 허둥대며 잠금장치를 찾아 잠갔다. 잠금장치가 작동했을 때는 조근석이 바로 앞까지 와 있던 상태였다.

쾅. 쾅.

근석은 주먹으로 그 문을 쳤다. 육중한 몸집에서 나오는 묵직한 움직임은 당장이라도 문을 부수고 들어올 수 있을 것 같이 보였다. 하지만 철제문을 맨손으로 부수기란 쉽지 않았는지 문은 그 모습 그대로 비명만 지르고 있을 뿐이다.

창우는 문에 나 있는 작은 창을 통해 그 모습을 보았다. 어떤 종류의 감정으로 만들어진 표정인지 알 수 없는 얼굴을 한 채 주먹으로 문을 두드리는 조근석과 그 뒤에서 눈만 껌벅거리며 지금의 이 장면을 지켜보는 그의 아내, 그리고 저학년 초등학생쯤으로 보이는 남자아이 하나와 더 어려 보이는 여자아이 둘이 눈에 들어왔다.

"오빠 어서 와. 지하로 내려가는 통로를 찾았어!"

예은이 손짓을 하며 창우를 불렀다. 이제 시간은 1분여가 남아 있다.

이내로 문을 등지고 지하로 내려가는 통로를 지나면 모든 것이 창우가 바라던 대로 완수되는 것이다. 하지만 창우는 자신도 모르게 문에 난 작은 창으로 근석의 아이들을 보았다. 지금 이 상황을 알지도 못한 채 아빠가 시키는 대로 넣었을 물건이 담긴 가방을 메고, 아빠의 주먹질에 놀라 울 것 같은 표정을 짓고 있는 작은 아이들.

시간의 흐름에는 변수가 없다. 53초, 52초, 51초. 만약 진성이 말한 그 약속 시각을 지키지 못한다면 이 일이 물거품이 될 수도 있는데, 창우의 마음속에서는 강한 갈등이 솟구쳤다. 그것에는 의식적 생각의 영역이 아니라 타고난 본성이 작용했다.

창우의 손이 잠금장치로 갔다. 그리고 딸각 소리와 함께 문이 열렸다. 그러자 그것을 눈치챈 근석은 있는 힘을 다해 그 문을 활짝 열고는 창우의 멱살을 잡았다. 그리고 창우의 얼굴을 똑바로 보며 소리쳤다.

"이, 이 새끼가, 이게 지금 뭐 하는 짓이야?!"

시간이 촉박했다. 창우 뒤에서 예은은 지금의 이 장면을 하얗게 질린 얼굴로 보고 있다. 아마도 창우의 방금 행동에 강한 의문이 들었을 것이다.

창우가 소리쳤다.

"시간이 없어요. 어서!"

근석에게 잡힌 몸을 힘껏 뿌리친 창우는, 예은이 있는 위치로 몸을 던지듯 뛰었고, 그 뒤를 근석 일행이 일제히 따랐다. 그리고 창우의 누나를 선두로 모두는 사다리를 붙잡고 지하로 내려가기 시작했다. 그와 함께 각자가 손에 쥐고 있던 짐의 절반은 끝이 어디인지 알 수 없는 아래로 떨어졌다.

그렇게 급히 사다리를 타고 내려온 그들은 드디어 바닥에 닿았다. 창우의 일행과 근석의 일행 모두가 무사히 비밀 지하시설에 도달한 것이다. 일단 현재로서는 그렇다.

그들이 다다른 어두컴컴한 그곳에는, 진성이 전방 5m 정도를 비출만한 작은 조명등 하나를 들고 서서 그들을 바라보고 있다. 잠시 후 진성은 아무 말 없이 몸을 돌리며 따라오라는 손짓을 했다. 그리고 그를 따라 모두는 약 5분 정도를 더 이동하여 어느 공간에 도착했다.

높이 2m 정도에 고속열차 객실 세 칸을 붙여 놓은 크기인 그곳에는 약 30명 정도의 사람들이 각자의 방식대로 곳곳에 자리를 잡고 있다. 그곳은 일반 피난민들이 잠시 머무르고 있는 일종의 대기실인 듯 보인다.

그들은 하나같이 걱정스러운 표정을 짓고 있고, 마치 타지에 여행이라도 갔다가 기상 문제로 교통편이 취소되어 오도 가도 못 하게 된 것만 같은 모습을 하고 있다.

피난민들은 통제와 관리에 용이하도록 각자 시차를 두고 이곳에 모였는데, 창우의 일행이 가장 마지막으로 온 것이다.

그 장면을 가만히 지켜보던 창우에게 진성이 다가와 얼굴을 가까이 마주하며, 작고 나지막한 목소리로 말했다.

"능력이 이 정도밖에 안 됩니까? 계속해서 실망스럽군요. 이래서야…."

창우는 그 말의 의미가 무엇인지 충분히 알 수 있었다. 비밀을 제대로 지키지 못한 죄에 이어, 뒷수습조차 못 한 죄까지 더해져 입이 열 개라도 할 말이 없었다.

고개를 숙인 채 어색한 몸짓으로 이마를 긁적이고 있던 창우에게 진성은 길게 한숨을 내쉰 후 말했다.

"지금이라도 처리하세요."

창우는 깜짝 놀라 진성을 바라보았다. 그리고 뒤이은 그의 말에 다리에 힘이 풀릴 정도로 충격을 받았다.

"필요한 도구가 있으면 얘기하세요. 뭐든 있으니까."

그 말인즉슨, 근석의 일행을 이곳에서 당장 쫓아내거나 말썽을 부리지 않도록 하라는 의미이다. 상황을 종합해봤을 때, 그것은 곧 상대에게 심각한 신체적 위협을 가하라는 말과도 같았다. 그래서 창우의 머릿속이 다시 복잡해졌다.

창우는 자신과 조금 떨어진 곳에 서 있는 근석의 일행을 바라보았다. 근석은 예상치 못한 광경을 관찰하느라 눈이 바빠 보이고, 그의 아내와 아이들은 어찌할 바를 모르고 그저 손가락만 꼼지락거린 채 멀뚱히 서 있다.

'내가 왜 그랬지? 내가 왜. 왜 그랬을까. 저들까지 다 데리고 갈

수 없는 건데, 그게 맞는 건데. 저들을 버렸어야 옳은 일인데, 난 왜 다시 잘못된 판단을 한 것일까.'

혼란에 빠진 창우는 두 손으로 자신의 얼굴을 비벼댔다. 그리고 좋은 방법을 생각하긴커녕 자책을 반복했다. 하지만 이내, 그의 타고난 성격이 발동되었다.

'아니야. 분명 방법이 있을 거야. 모두가 다 살아남을 방법이.'

그런 창우에게 진성은 얼음이 든 차가운 물을 퍼붓는듯한 말을 다시 건넸다.

"이봐요. 지금 이렇게 한가하게 보낼 시간 없어요. 내가 장난하자고 분 단위로 쪼개서 일정을 알려준 줄 압니까? 이제 말 길게 못 합니다. 계획에서 3분이라는 시간이 지체되었어. 당신 때문에."

그 말이 끝남과 동시에 반사적으로 창우가 말했다.

"뭔가…. 모두가 다 잘 될 방법이 있을 겁니다."

동문서답 격인 답을 들은 진성은 창우를 쏘아보았다. 그러고는 시선을 다른 곳으로 돌리며 한심하다는 표정을 잠시 지어 보이더니, 혼잣말을 내뱉었다.

"형이 잘못 생각한 것 같은데. 저딴 놈이 뭘 할 수 있다는 것이지? 젠장."

창우는 그 말을 똑똑히 들었다. 그리고 진성은 손에 쥐고 있던 한 개인정보기기를 들어 무언가를 확인하고는 굉장히 차가운 말투로 말을 건넸다.

"9시 45분까지 해야 할 일을 완벽히 해결하고, 저기 저 통로로 이어지는 방에 혼자 오세요. 만약 일이 해결되지 않거나, 9시 45

분까지 오지 않을 경우는 내가 직접 손을 쓸 겁니다. 아, 혹시 수고스러움을 나에게 떠넘길까 봐서 하는 말인데, 만약 내가 나서게 되면 저 덩치 큰 놈과 그 일행은 물론이거니와 창우 씨 일행 중 몇몇도 무사하지 못할 겁니다. 내가 장담하지요."

그의 그 말에 창우는 온몸에 소름이 돋았다. 그리고 진성은 창우로부터 등을 돌렸다. 그런데 진성이 그러다 말고 팔을 들어 어딘가를 가리키더니 한 마디를 덧붙였다.

"그 말랑한 손을 대신할만한 물건들은 저기 바닥에 도구함을 열어보면 몇 가지가 있으니까, 잘 활용해보시든가."

성격적인 부분만 제외한다면 창우 역시도 진성 못지않게 겉모습은 남성적이고 강해 보이지만, 진성은 창우를 마치 어린 학생 취급하듯 다루었다. 아무리 창우가 지금 상황에 약자의 입장이고 지은 죄가 있어 약점이 잡힌 상태라고는 하지만, 상대의 그런 태도는 명백히 비상식적이고 무례하다고 볼 수 있다.

진성이 자리를 떠난 후, 창우는 멍한 상태로 선 채 아무것도 하지 않았다. 그런 그의 곁으로 예은이 다가와 말을 걸었다.

"오빠."

창우는 예은의 목소리에 반응하지 않았다. 그러자 예은은 창우의 팔을 잡고 흔들었다.

"창우 오빠. 왜 그래? 무슨 일 있어? 혹시…. 조근석 씨 때문이야?"

창우는 고개를 살짝 끄덕였다. 예은은 무슨 일인지 눈치를 챈 듯했지만, 그 어떤 비난이나 후회의 감정을 일으킬만한 말은 할 수 없었다. 창우의 선택이 충분히 이해되었기 때문이고, 예은으로서도 창우에게 닥친 문제에 공감할만한 여유가 없었다. 그녀는 가족과 지인을 떠나 홀로 이곳에 왔다. 창우에게도, 예은에게도 현재 서로의 감정을 다독일만한 여유가 있지 않다.

그런데, 휴업 상태가 되었던 창우의 사고력이 갑자기 크게 활성화되기 시작했다. 아마도 그의 몸에서 급격히 솟은 스트레스 호르몬으로 인해 위기탈출을 위한 알고리즘이 가동되기 시작한 것 같다. 그리고 그 알고리즘은 그의 타고난 성향에 따라 긍정의 결과를 내는 방향으로 활성화되었다.

창우는 자신의 목덜미에 붙어 있던 도청장치와 위치추적기를 손으로 붙잡아 떼어냈다. 강한 접착력 탓에 그 부위의 피부에 강한 통증을 느꼈지만, 현재의 심리적 고통에 비할 바는 아니다. 그리고 그것을 바닥에 떨궈 신발 바닥으로 짓밟았다.

정신이 또렷해진 창우가 예은을 보며 빠른 말투로 물었다.

"그런데, 너 어떻게 온 거야? 괜찮아?"

"나, 그 사람에게 직접 부탁해보려고 왔어."

그 말을 들은 창우는 당장 해결해야 할 문제가 또 하나 생긴 탓에 순간 짧은 두통이 찾아왔다. 그는 오른손으로 자신의 머리를 지그시 누르며 왼손에 차고 있던 시계를 보았다. 그러고는 다시 시선을 예은에게로 돌렸다. 그리고 빠르게 말했다.

"지금 상황으로서는, 현실적으로 불가능할 거야."

창우는 예상치 못한 예은의 말에 장황한 설명을 덧붙일 시간이 없다. 그리고 예은은 아무 말도 없이 동그래진 눈을 하고서는 창우의 얼굴만 바라보았다. 그녀는 자신의 가족까지 함께할 수 없다는 그의 말을 완전히 믿지 않았다. 어떤 이유로 인해 도진이 불리한 조건을 전한 것을 아닌가 하는 의심에서 비롯된 행동이 그녀를 이곳까지 이끈 것이다. 위기가 연인에 대한 신뢰와 평정심을 잃게 했나.

"그럼 어떡해? 나만 갈 수는 없어."

창우는 다시 시간을 확인했다. 1분이 지났고, 예은과 말을 주고받을 여유가 없다. 현재 예은의 문제는 현실적, 그리고 물리적으로 창우가 당장 해결할 수 없는 것이다.

"예은아, 지금 시간이 없어. 일단 조근석 문제를 5분 안에 처리하고 도진을 만나러 가야 해."

그 말을 들은 예은은 창우에게 섭섭한 감정을 느꼈는지, 아무런 말도 잇지 않은 채 시선을 떨구었다. 그리고 더는 그녀에게 신경을 쓸 수 없던 창우는, 그녀에게서 등을 돌려 벽의 한구석에 마련되어 있는 도구함을 열었다. 그리고 그곳에서 둔탁하게 생긴 철제 물건 하나를 꺼내어 자신의 바지 주머니에 집어넣었다. 그러고는 자신의 아이들을 보고 있던 조근석에게로 빠르게 다가갔다.

"조 선임님. 잠깐 따로 얘기 좀 하죠."

조근석은 창우를 경계하는 눈빛으로 보며 잠시 망설이더니, 곧 그를 따라 자리를 옮겼다.

잠시 후, 창우는 무언가를 찾는 듯 주변을 살피고는, 그 어떤 감시장치도 없다는 것을 확인하자마자 한껏 빨라진 몸짓과 말투로 말을 이었다.

"지금 시간이 없으니 대꾸하지 말고 일단 제 말부터 듣기만 하세요. 원래 조 선임님과 식솔들은 탈출 계획에 포함되어 있지 않았고, 지금 이 순간도 탈출 계획에서 빠진 인원입니다."

그러자 조근석이 큰 목소리로 그 말을 받았다.

"그게 무슨 소리야?!"

창우는 마치 그러기로 준비라도 한 듯 신속하게 자신의 바지 주머니에서 묵직한 금속 물건을 꺼내어 들었다. 그리고 당장이라도 휘두를 것처럼 그것을 쥔 팔을 몸의 뒤로 뻗고는, 근석을 노려보며 말했다.

"시간이 없다고 말했지! 잠자코 듣기나 해. 나는 지금 막무가내인 당신을 제거해야 하는 상황이야. 만약 당신이 힘으로 나를 제압한다고 해도 당신은 결코 이 재난에서 탈출할 수 없어. 무슨 말인지 알아들어? 당신이 무슨 수를 써도 당신과 당신 가족들은 탈출기에 탑승할 수 없다고! 알아들었어?! 방법을 찾으려면 제대로 협조해!"

근석은 창우의 손에 들린 커다랗고 묵직한 철제 물건과 그의 눈빛을 번갈아 보고는 말없이 자신의 바지 주머니에 두 손을 집어넣었다. 그 행동은 상대를 공격할 의사가 없다는 의미이다.

예상과는 다르게 순식간에 고분고분해진 그의 행동을 본 창우는 조금은 당황한 표정을 잠깐 지어 보이고는 다시 말을 이었다.

"일단 나는 4분 안에 무슨 수를 써서라도 당신 일행들을 이곳에서 몰아내고 저 안쪽에 있는 어딘가로 가야 합니다. 그 계획에 따르지 못하면, 나나 당신이나 위험해져요. 지금부터 내가, 모두가 살아남을 방법을 찾아볼 테니 일단 당신과 가족들은 들어온 곳으로 다시 나가서 기다리세요. 절대로, 내가 신호하기 전에 모습을 드러내서는 안 됩니다."

창우의 말을 들은 근석의 눈동자가 떨렸고, 코 주변의 근육들이 씰룩댔다.

근석이 생각하는 창우라는 인물은, 그동안의 회사생활에서 보여준 행실로 봤을 때 남을 속이거나 거짓말을 남발하는 인물은 아니고, 현재의 단호한 말투와 표정으로 봤을 때도 거짓이 아닌 것은 확실히 느껴졌다.

하지만 그렇다고는 해도, 이미 한차례 이와 관련하여 창우에게 속은 경험이 있는 근석은 판단하기가 어려웠다. 생존 여부와 연관이 되어있는 일에서는 이성보다 본능과 감정에 충실할 수밖에 없는 평범한 인간의 한계를 잘 알고 있기 때문이다.

그런데도 근석은 조금 전 창우가 자신을 배려하여, 이곳으로 들어오는 문을 열어준 사실을 참작하여 그의 말을 따르기로 했다.

"그러지."

근석은 더는 창우와의 대화를 잇지 않았고, 곧장 등을 돌려 자신의 가족들이 있는 곳으로 뛰어갔다. 그리고 창우가 제안한 대로 식솔들을 이끌고 이곳으로 들어온 통로를 따라 다시 밖으로 나가기 시작했다.

근석은 창우를 스쳐 지나가며 한마디를 건넸다.

"상황이 정리되는 대로 전화해줘. 기다리고 있겠어."

그렇게 근석이 이 지하시설로부터 몸을 옮겼고, 창우는 시계를 보았다.

'2분 남았어.'

창우는 거친 벽면에 자신의 팔과 무릎 부분을 문질렀다. 그러자 벽면과의 마찰로 인해 옷의 군데군데가 뜯어지거나 구멍이 생겼고, 이번에는 손으로 스스로 자신의 뺨을 때렸다. 그러자 얼굴의 한 부분이 빨개졌다. 그 후 그의 모습은 영락없이 누군가와 몸싸움을 벌인 것처럼 되었다.

창우는 힘껏 뛰었다. 대기실에 모여있는 사람들과 예은을 지나, 진성이 말한 그곳까지 빠르게 달렸다. 그리고, 약속된 시간에 정확히 그곳에 다다랐다.

어떤 공간에 들어선 창우는 놀라움에 입을 다물지 못했다. 일반적인 학교 운동장의 넓이에 높이가 5m 정도 되는 6각형 형태의 공간, 벽면과 바닥은 은색 빛의 깨끗하게 가공된 금속으로 되어있고, 그 중간에는 벽면과 바닥처럼 금속 재질의 두꺼운 기둥이 여러 개 세워져 있다, 그리고 그 용도를 알 수 없는 두꺼운 전선들이 기둥을 따라 휘감겨 다른 어딘가로 이어져 있다.

한쪽 벽면에는 50개 정도의 대형 모니터가 정렬되어 붙어 있고, 그 인근에는 윙 하는 소음을 내며 가동 중인 수많은 전기 장치가 바닥과 테이블에 나뉘어 놓여 있다.

모니터들에서는 정확히 어디인지 알 수 없는 공간과 거리, 건물 등의 장면이 나타나고 있다. 그리고 길게 이어진 테이블 위에는 항공 관련 산업체에서나 사용할만한 헤드폰 여러 개와 헬멧, 낯선 형태의 금속 덩어리 등 온갖 잡다한 물건들이 놓여 있다.

분위기나 시설물의 모습으로 봐서는, 아마도 이곳은 이 지하시설의 보호하기 위한 보안과 감시 용도로 사용 중인 공간쯤 될 것 같다. 창우의 일거수일투족을 감시한 것도 아마 이곳에서 이루어졌을 것이다. 그리고 지금 이곳에는 도진과 진성, 그리고 누구인지 알 수 없는 다른 세 명이 있다.

창우는 눈동자를 이쪽저쪽으로 굴리며 관찰했다.

'도진과 진성 외에 세 명이 더 있잖아. 그렇다면 도진과 함께 이 일을 하는 사람이 저들이라는 말인가? 잠깐만, 얼마 전에 봤던 그 낯선 사람은 지금 여기에 없잖아.'

그런 그에게 도진이 가까이 다가왔다. 그는 창우의 몰골을 위아래로 살핀 후 말을 건넸다.

"이런, 진성이 또 거칠게 다루었군. 중요한 일이 있는 날에 이래선 안 되는데. 지금 몸 상태는 어때?"

창우는 도진의 말에 응하기 시작했다.

"응? 아, 조, 좋아. 그런데 여긴…?"

"보다시피, 여긴 보안관리실이야. 해야 할 일은 잘 마무리했고?"

도진은 이미 진성에게 조금 전의 일에 대해 보고를 받은 듯했다.

"응? 무, 물론이지."

"그래?"

도진은 오른쪽 눈썹을 살짝 치켜들며 창우의 속을 꿰뚫어 보기라도 하는 것처럼 그를 빤히 바라보았다. 그리고 잠시 정적이 머물렀다.

그렇게 대화가 이어지지 않고 있을 때, 진성이 근처로 다가와 도진에게 손으로 신호를 보냈다. 그러자 도진의 말이 다시 이어졌다.

"정확히 237분 후에, 이 지구를 떠나 다른 우주로 가는 작업이 시작될 거야."

그 말에 창우는 어떤 실망스러운 감정을 느꼈다. 그의 머릿속에는 진성이 분 단위로 시간을 쪼개 재촉하던 일이 떠올랐다.

"237분? 분 단위로 뭔가를 급하게 해야 할 정도의 시간은 아닌 것 같은데…."

창우는 자신도 모르게 혼잣말을 내뱉었다. 그러자 그 말을 들은 도진이 응했다.

"시간이라는 것은 모두가 똑같이 가지고 있는 것처럼 여기지만, 실제로는 상황에 따라 각자에게 다르게 주어지는 것이지. 지금 이 순간 너의 상황에서는 길다고 받아들였겠지만, 지금 나에게 237분이라는 시간은 아주 짧아.

뭐, 어쨌든 이제부터 정해진 계획에서 조금의 변화나 실수가 있어선 안 돼. 만약 237분, 아, 이제 236분이 되어버렸군. 236분 후에 이 지구를 떠나는 과정이 원활히 시작되지 못한다면, 한 달을 기다려야 해.

물론, 한 달 후에는 이 지구는 엉망이 되어있을 테고, 우리 역시도 생존을 보장받지 못하게 되는 데다가 이 시설이 멀쩡히 보존될지도 알 수 없으니, 한 달 후라는 것은 전혀 의미가 없어."

"그럼, 236분 동안 뭘 해야 하는 거야? 시간이 촉박하다면서 이러고 있을 시간이 있어?"

"너나 내가 바쁘게 움직여야 한다는 의미가 아니야. 우리가 만든 시스템이 열심히 믹바지 작업을 하고 있어."

"그럼, 내가 해야 할 일은 뭐야?"

"네가 해야 할 일…. 아주 중요한 일이지. 네가 시동을 걸어줘야 해."

"시동?"

"사실, 너에게는 30분 정도의 여유를 더 줘도 되는데. 네가 계획을 망칠까 봐 진성이 걱정이 많이 했나 보군. 어쨌든 이제 곧 너에게 임무가 주어질 거야."

도진의 목소리는 그 어느 때보다 부드러웠다. 학창시절의 말수 적고 조용하고 무뚝뚝한 그가 아닌, 그 몇 년 후 다시 만난 그날의 경계심 가득했던 그가 아닌, 만약 방금 처음 만난 사이라면 충분히 사교성이 있다고 생각될 정도로 달랐다. 이는 곧 그동안 도진이 이러한 재능을 스스로 억누르고 있었다는 의미이며, 또는 그가 창우를 부드럽게 대해야 할 어떤 이유가 있다고도 추정을 해볼 수 있다.

"지금부터 20분 동안은 편히 쉬어. 여기에 있어도 좋고, 다른 사람들이 모여있는 대기실에 가 있어도 좋아. 다만, 네가 보기에 건드리면 안 될 것 같은 것들은 절대로 건드리지 말고, 그 근처에도 가지 마. 그리고 정확히 20분이 지나면 저기로 가서 앉아 있어.”

도진은 손가락으로 어느 한 곳을 가리키며 말했다. 그곳에는 작은 의자 하나가 덩그러니 놓여있다. 그리고 창우는 방금까지 도진이 한 말에 자신이 꼭 알아야 할 내용이 빠져있었기에 다시 물었다.

“내가 시동을 건다는 게 무슨 말이야?”

이 질문은 현재 창우 자신에게 닥쳐있는 문제들을 해결하기 위해서 굉장히 중요한 것이다.

도진은 미소를 살짝 짓고는 오른손을 창우의 어깨 쪽으로 가져갔다. 그리고는 잠시 멈칫하더니 그 손을 창우의 어깨에 살짝 올리고는 말했다.

“일단 잠깐은 편히 쉬어. 네가 궁금한 것은 그 후에 알려줄 테니까. 미리 알아봤자 좋을 건 없어. 넌 마음이 안정되어 있어야 하거든. 아, 이렇게 말하면 궁금증이 생겨 오히려 마음이 흐트러지려나? 음…. 정말 간단하지만 네가 잘할 수 있는 일이니까 마음 놓고 기다려. 편하게. 알았지?”

창우는 인상을 조금 찌푸리며 고개를 갸웃거렸지만, 도진은 그 모습에 아랑곳하지 않고 창우의 어깨에 올려져 있던 자신의 손을 천천히 내린 후, 등을 돌려 걸어가기 시작했다. 그리고 창우는 그런 도진의 뒷모습을 가만히 바라보며 생각했다.

‘내가 이 계획과 장소를 누설했는데도, 그리고 뒷수습도 못 해서 조근석의 일행까지 끌어들였는데도 나를 살려서 이 일에 끌어들이고 있어. 심지어 지금은 나에 대한 태도가 간지러울 정도로 부드러워졌단 말이야.

탈출기, 아니, 네닉 시스템이었던가. 아무튼, 그것이 작동하는 것과 관련해서 내가 꼭 필요한 것이 분명해. 내가 아니면 안 되는 일. 그렇지 않고서야, 나를 내칠 수 있는 명분은 이렇게 넘치는데도 나를 붙잡아두려 하잖아. 그렇디먼.'

창우는 빠른 걸음으로 도진에게 다가가 그를 불러세웠다.

"잠깐. 할 말이 있어."

도진은 게슴츠레한 눈을 하고서는 창우를 바라보았다. 그의 그 분위기와 느낌은 조금 전 등을 보이기 전과는 분명 달라져 있다. 창우가 무슨 말을 할지 알고 있다는 것처럼.

창우는 도진을 정면으로 바라보며 앙다물고 있던 입을 열어, 조금은 격앙된 목소리로 말을 이었다.

"사실, 조근석과 그의 가족들은 아직 무사하고, 이 근처에서 머무르고 있어. 그들도 함께 탈출하게 해줘. 그리고 나의 여자친구 가족들까지도."

자신의 안위를 위해서라도 조근석의 일행을 모른 척 계속해서 밖에 둘 수도 있지만, 그렇게 하기에는 그의 타고난 본성이 허락지 않는다. 그리고 따지고 보면, 여기까지 따라온 마당에 그렇게 냉정하게 내쳐야 할 정도로 근석에게 큰 잘못이 있다고 볼 수는 없다. 근석은 탈출 시스템에 대해서는 제대로 알지 못한 채 그저 생존의 기회를 달라고, 함께 살자고 애를 쓴 것뿐이다.

도진은 창우를 가만히 바라보았다. 그는 감정을 감춘 얼굴을 하고 있었지만, 분명히 무언의 답을 창우에게 보내는 중이다. 도진이 표정과 눈빛으로 보내는 메시지는 분명했다. 그러자 창우는 조금 더 단호하고 빠른 말투로 말했다.

"만약 나의 요구를 들어주지 않는다면, 난 너의 계획에 동참하지 않겠어. 지금 당장 이곳을 빠져나갈 거야."

창우의 그 협박은 현재 상황과 그의 입장에 완전히 상반되는 것이다. 제발 무사히 탈출하게 해달라고 빌어도 모자랄 상황에, 그와 반대되는 내용으로 상대에게 협박하는 것이다. 그것은 도진의 계획에 자신이 없어서는 안 될 것이라는, 그 자신이 도진의 완전한 탈출 계획 실행을 위한 일부에 속해 있을 것이라는 확신에서 이루어진 행위였다.

도진은 그런 창우의 언행을 이해하지 못하겠다는 듯 한참이나 가만히 바라보았다. 그러고는 헛웃음을 한번 짓고 입을 열었다.

"한 명도 아니고, 그렇게나 사람을 더 끌어들이면 우리가 무사히 탈출할 확률이 줄어든다는 것은 알고 있잖아. 어째서 그런 제안을 당당하게 하는 것인지 도무지 모르겠군. 그 사람들과 그렇게 끈끈한 사이인가? 들은 내용으로는 별로 그렇지 않아 보이던데. 무슨 사정이 있길래 자신의 목숨까지 걸고 그러는 건지 이해하기가 쉽지 않군. 아…. 됐어. 지금 그런 것 따위는 이해하고 싶지 않아.

이봐. 박창우. 진정해. 계획한 대로만 하면, 우린 곧 이 위기에서 벗어날 수가 있을 거야. 곧 마무리될 이 계획과 과정은, 지금까지 나와 동료들이 철저하게 준비한 거야. 이제와서 너의 그런 요구를 들어줄 수는 없어. 이전에 나와 한 약속을 지켜. 나와 한 약속 따위는 중요하지 않은 건가?"

예상대로 도진은 반발하는 창우를 내칠 생각이 전혀 없는 듯 보였다. 그리고 창우는 도진과의 약속보다는 인간성이라는 명분을 더 우선으로 내세웠다. 그 인간성의 속성은 철저히 자신이 정의한 것으로 한편으로는 이기적이다.

"난 이곳에서 나가겠어."

방금 이 말은 도진을 협박하기 위한 수단만은 아니다. 이 주제에 대한 도진과의 대화에서 순간 자신도 모르게 어떤 정의감이 솟아올랐다. 만약 도진이 이를 거부한다면 정말로 이곳을 뛰쳐나갈 충동적인 감정이 생긴 것이다.

하지만 그와는 다르게 도진은, 창우의 그 말에 어떤 흔들림이나 감정적 표현을 나타내지 않았다. 그는 그저 어떤 생각을 하는 듯 상대를 가만히 응시하고만 있을 뿐이다. 도진의 관점에서 창우의 언행은 마치 장난감을 사달라고 떼를 쓰는 아이 같기도 했다.

잠시 후, 도진은 미리 준비한 대본이라도 읽는 것처럼 변함없는 차분한 말투로 상대에게 응하기 시작했다.

"네가 그렇게까지 나온다면, 좋아. 네가 원하는 대로 해."

창우는 자신이 쏜 화살이 과녁에서 빗나가자, 조금 전의 호기와는 달리 실망한 기색을 보였다.

"뭐? 워, 원하는 대로? 알았어. 그럼 난 이곳에서 나가주지."

창우의 얼굴이 순간 시뻘게졌고, 기름칠을 오랫동안 하지 않은 로봇이 삐걱대듯 어색하게 몸을 옮기기 시작했다. 그러자 그때 도진이 말했다.

"아니, 그런 말이 아니라, 그 사람들까지 수용해주겠다고."

창우가 쏜 화살이 과녁의 가운데에 정확히 맞았다. 하지만, 이번에도 각자의 태도는 처해있는 처지와는 상반된 모습을 보였다. 원하는 것을 이룬 창우는 기쁨보다는 당황스럽다는 몸짓을 보였고, 자신의 계획이 일부 틀어져 버린 도진은 여전히 차분함과 흔들림 없는 편안한 자세를 유지하고 있는 것이다.

"저, 정말 그렇게 해도 되는 거야?"

도진은 그 말에 답하지 않고 다시 등을 돌렸다. 그리고 혼잣말을 하듯 말을 건넸다.

"너의 그런 면 때문에 내가 너를 선택한 거야. 뭐, 어쨌든 알겠으니까 충분히 쉬고, 조금 이따 보자고. 내가 진성에게는 따로 얘기를 해두지."

이렇게 쉽게 원하는 바가 이루어질지 몰랐던 창우는 잠시 얼떨떨한 표정을 지으며 움직임을 멈추었다. 그러고는 순간 정신이 들어 현재 시각을 확인한 후, 예은이 있는 대기실로 달려갔다. 그리고 예은을 보자마자 급하게 말했다.

"너의 부모님은 지금 생존클럽 대피소에 계시지?"

"응. 아마 지금은 밖에 나와 계실거야. 그런데 무슨 일이야?"

"탈출기 작동까지는 세 시간 이상 여유 시간이 있는 것 같아. 너의 부모님과 동생을 지금 바로 여기로 오도록 연락해."

"세…. 시간?"

강원도 어느 지역에서 이들이 있는 이곳까지 오려면, 자가 승용차로 빠르게 온다고 해도 4시간은 소요될 것이고, 최근 새로이 도

입된 고속열차로 오면 약 2시간이 걸린다. 하지만, 열차표를 손에 쥐었다고 해도 각 교통 지점 간의 이동시간까지 포함하면 그 역시도 최소 3시간 이상은 소요될 일이다. 항공편 역시도 비슷한 사정이다. 게다가 재난위기 상황이라 대중교통편을 제대로 이용할 수 있을지도 알 수 없다. 즉, 불가능에 가깝다고 봐야 한다.

하지만, 혹시 모를 탈출기 작동 계획의 지연 변수에 기대어보기로 하고, 일단은 시도를 해보기로 했다.

"시간 없어! 지금 당장 연락해서 여기로 오시라고 해. 어서!"

예은은 조금 전까지의 칙칙하게 굳은 표정을 순식간에 거두고는, 반짝거리는 눈빛으로 손에 스마트폰을 들었다. 깊은 지하시설이지만 중계 장치를 갖췄는지, 전화통화는 가능했다.

예은이 자신의 가족들에게 연락하는 사이, 창우는 조근석에게 전화를 걸어 다시 아래로 내려오라는 연락을 취했다. 그러고는 잔뜩 긴장되어 있던 심신을 달래느라 바닥에 털썩 주저앉은 순간, 어떤 생각이 들었다.

'잠깐만. 이거 혹시 함정 아닐까?'

하지만 그는 자신의 그 생각을 부정하는 의미로 고개를 좌우로 저었다.

'아니. 도진이 그 녀석은 조금 독특하긴 해도 나쁜 의도로 누굴 속일만한 사람은 아니야. 그런데…. 너무 쉽게 나의 요구 조건을 들어줬어. 그건 좀 이상하긴 해. 머리가 좋은 녀석이니 순간 모두와 함께할 수 있는 어떤 방책이 떠오른 건가?'

약 10분 후, 다시 조근석과 마주한 창우는 간단하게 지금의 상황을 그에게 전했다.

"어쨌든, 우리도 함께 갈 수 있다는 말이지?"

"그렇습니다. 일단 그렇게 협상을 해두었는데…."

"일단은?"

"아니, 뭐. 문제없을 겁니다. 난 맡은 일이 있어서 다시 가봐야 합니다. 조 선임님은 아내와 아이들과 함께 여기 대기실에 있으세요."

"나도 창우 씨가 가려는 거기에 가봐야겠어."

"안됩니다. 안 그래도 모두가 예민한 상태인데, 조 선임님이 그들에게 모습을 보였다가는 어떤 예상치 못한 상황이 벌어질지 알 수 없어요."

"그래. 알았어."

그렇게 어깨에 지고 있던 무거운 짐 몇 가지를 가까스로 내려놓을 수 있게 된 창우는, 도진이 시킨 대로 다시 보안관리실로 향했다. 그러는 동안 그는 마치 기업 입사 면접을 보기 위해 면접장의 문 앞에서 기다리는 듯한 기분이 들었다. 도무지 긴장감이 해소되지 않았다.

잠시 후 그는 도진과 만났던 보안관리실로 들어가, 한쪽 벽 구석에 있는 의자에 앉았다. 그러자 도진이 때마침 모습을 나타냈다. 그런데 이번에는 어떤 낯선 사람 둘이 그와 함께이다.

'아니, 도대체 도진과 함께 일을 하는 사람이 몇 명이나 되는 거

야? 매번 새로운 사람들이 나타나네.'

도진의 뒤를 따르는 둘에게서 무엇보다 가장 눈에 띈 것은, 그들의 복장과 머리에 쓴 헬멧이었다. 그들은 마치 무대 공연을 하는 사람들처럼 일반적이지 않은 옷을 입고 있는데, 그 광택 없는 옅은 구릿빛 옷은 몸을 빈틈없이 가리고 있고, 금속성분이 높은 비율로 함유된 섬유로 만들어졌는지 몸을 움직일 때마다 독특한 소리가 났다. 그리고 무어라 특정할 수 없는 공업용 기름 냄새가 은은하게 풍겼다.

헬멧 역시도 전체가 구릿빛인데, 일반적인 헬멧과는 형태가 다르고, 크기도 작다. 게다가 얼굴을 가리고 있는 면은 반투명해서 앞이 제대로 보이긴 할까 싶을 정도이다.

세계적인 디자이너나 예술가가 제작한 작품이라면, 독특하다고 해도 그것에 담긴 의미에서 예술적인 가치나 아름다움이 느껴지기라도 하겠지만, 그들이 머리끝부터 발까지 둘러싸고 있는 복장은 너무 이질적이라 그것을 보는 사람에게 심적 불편함을 자아냈다.

그리고 그들은 몸집이나 움직임 등으로 보아 30대 초중반 정도의 나이로 보이는데, 그중 한 명에게서는 서양인의 느낌이 났다.

"기분이 어때?"

창우는 도진의 물음에 혀로 입술을 한번 축인 후 말하였다.

"조금 긴장이 되네."

그 말을 들은 도진은 더 이상의 대화는 이어가지 않고, 함께 온 사람들을 바라보며 고개를 끄덕였다. 그러자 그 몸짓의 신호에 대해 무언가 정해진 행동이라도 있는 듯, 그중 한 사람이 창우에게 가까이 다가와 작은 택배 상자만 한 어떤 측정기기를 바닥에 놓더니 다짜고짜 창우의 손목과 이마에 무언가를 붙였다. 그리고 이내 몇 가닥의 전선이 바닥에 있는 측정기에 연결되었고, 곧 측정기의 모니터에 온갖 그래프와 숫자들이 나타나기 시작했다.

"지금 이게 뭐 하는,"

그 사람은 창우에게 입을 다물라는 손짓을 보이며 말을 잘랐다. 그리고 약 30초 후, 그 사람은 도진에게 생소한 용어가 섞인 내용을 빠르게 말하는데, 분명 기술적인 내용인 듯했지만 공학을 전공하고 첨단 기술을 연구하는 직업을 가진 창우조차 알아들을 수 없는 것들이었다.

정체를 알 수 없는 그 사람과 그렇게 잠깐 대화를 한 도진은 크게 심호흡을 한번 하더니 단호한 말투로 짧게 말했다.

"시작합시다."

그러고는, 도진은 급한 발걸음으로 어딘가로 사라졌고, 그 곁에 있던 두 명은 그대로 남았다. 그리고 조금 전 창우의 몸에 측정장치를 붙이던 사람이 말했다.

"저희를 따라오시죠."

그 말투와 억양은 너무도 차가워 마치 기계가 만들어낸 목소리 같이 들릴 정도였다. 그리고 창우는 정체 모를 두 사람을 따라 어딘가로 이동하기 시작했다.

이 지하시설이란 생각보다 복잡하고 거대하다. 하나의 공간은 또 다른 공간과 통로로 연결되어 있고, 그 통로를 지나면 다시 어떤 공간이, 그 공간을 지나 다른 통로를 통하면 또다시 공간이 나왔다.

크기와 형태가 조금씩 다른 각각의 공간들은 비어있지 않다. 옷가지, 침대 등을 비롯하여 온갖 생활용품들도 있고, 두꺼운 책과 사람 키 높이보다 더 높이 쌓인 문서들이 마치 기둥과 같은 모양새를 하고 있는 곳도 있으며, 각종 기계와 전기 장치, 그리고 케이블과 그 목적을 알 수 없는 온갖 형태의 금속 부품들이 가득 차 있는 공간도 있다.

'우와…. 도대체 이런 방들은 어떻게 만든 거야? 지하 깊은 곳에 이런 공간을 만들려면 전문 업체 여러 곳이 붙어서 시공을 해야 할 텐데. 설마 비밀유지를 해야 하는 처지에 업체를 불러서 했을 리는 만무하고, 정말 미스터리하군.'

그런 생각이 들자 창우는 자신도 모르게 몸에 소름이 돋았다.

'도진이라는 녀석, 어쩌면 내가 생각했던 것보다 더 대단한 인물일 수도 있겠군. 이 정도 일 줄은 몰랐는데.'

그렇게 각 방과 통로 몇 개를 지나 발걸음을 멈춘 곳은, 지금까지 지나온 공간들과는 감히 비교도 할 수 없을 만큼 거대한 어느 장소이다. 이곳에 도착한 창우는 마치 절벽에서 내려다보는 광활한 자연경관을 본 것처럼 경외감을 느꼈다.

거대한 지하 공간에서 계속해서 메아리치는 어떤 기계음과 공기가 대류를 하는 소리, '웅'하는 얕은 진동음, 그리고 이리저리 서로 엉켜있는 거대한 금속 기둥들. 그것들을 본 창우는 그것들이 자신을 위협하는 것이 아닌데도 강한 두려움을 느꼈다. 아마 스쿠버 다

이빙 중에 거대한 고래를 바로 눈앞에서 맞닥트린다면 이러한 기분일 것이다.

창우가 놀란 것은 한 가지가 더 있다. 이곳에는 지금까지 그가 본 사람들을 제외하고 대략 200명의 사람이 각자의 방식대로 어떤 일을 하는 중이다.

'뭐야, 몇 명 수준이 아니잖아. 무슨 사람들이 이렇게나 많아? 어? 잠깐…. 사람이…. 아니잖아. 저건, 로봇? 설마…. 인공지능 로봇?'

정확하게는 사람의 모습을 꼭 닮은 로봇들이다.

'저 정도로 사람과 유사하게 관절을 움직이는 로봇이 존재한다는 말인가? 게다가 자율 행동이라면…. 이건 정말 놀랍다. 정말 놀라워. 저런 건 우리 연구소에서도 아직 만들어내지 못하고 있는 건데.'

로봇들의 움직임과 형태는 굉장히 사람과 유사하고 부드러워, 가발과 가면을 씌우고 청바지와 티셔츠로 외관을 가린다면 영락없는 인간의 모습으로 보였을 것이다.

'아니, 이 정도 수준의 로봇은 어느 회사에서도 아직 개발하지 못했을 텐데. 도대체, 이곳에 접목된 기술은 어디 외계에서라도 가져온 거야?'

창우는 지금 보이는 광경에 무척이나 놀라, 그 자리에 얼어붙은 듯 섰다. 다른 우주로 갈 수 있는 장치인 네닉 시스템이라는 것을 듣기만 했을 때는 별다른 느낌이 들지 않았지만, 거대한 규모의 지하시설과 자유롭게 움직이는 로봇 등을 실제로 눈앞에서 보고 있자니 굉장한 경외감이 생긴 것이다.

'이 시설이나 탈출기도 그렇고, 저런 건 현세대 인간들이 이루어 낼 수 있는 기술이 아니야. 이 세상에는 이 정도로 숨겨진 기술이 많다고 이해를 해야 하는 건가? 어쨌든 정말 놀랍군.'

"어서 움직이시죠."

잠시 멈춰서 있던 창우를, 그를 이끌던 두 명의 사람이 재촉했고, 곧 위에서 아래로 내려가는 에스컬레이터를 탔다. 이 시설의 규모가 얼마나 큰지 에스컬레이터는 한참을 내려와 바닥 면에 도달했다.

그 아래에서 위를 바라온 창우는 다시 한번 몸서리쳤다. 높이는 40층 고층건물 정도에, 넓이는 축구 경기장 6개를 붙여 놓은 정도, 그리고 지름이 20m는 될만한 웅장하고 거대한 둥근 기둥들 12개가 비스듬하게 서로 얽혀있는 가운데에 들어온 그는, 위를 바라보며 현기증을 느꼈는지 몸을 순간적으로 기우뚱거렸다.

단지 괴상한 형태와 넓은 공간이 주는 위압감 때문인지, 또는 거대한 지하 공간이라는 특수한 환경에서 웅장하고 독특한 구조물들을 마주하고 있어서인지는 알 수 없으나, 도심에 줄지어 서 있는 높은 빌딩들 사이를 지나가는 것과는 비교도 되지 않을 만큼 낯설고 무서운 기분이 들었다.

창우는 그들에게 이끌려 어느 한 투명한 유리로 만들어진 둥근 캡슐 앞에 섰다. 그 캡슐은 성인 세 명이 넉넉하게 들어갈 수 있을 정도의 크기이다. 그리고 그것은 높이 솟은 기둥 하나에 2개씩, 모두 24개가 질서정연하게 서 있는데, 창우는 그중 하나의 앞에

선 것이다. 다만, 창우가 선 자리에서 바로 보이는 캡슐은 나머지 것들보다 어떤 기계장치들이 더 붙어 있고, 굵고 가는 전선들이 조금 더 복잡하게 얽혀있다.

창우가 고개를 우측으로 돌렸을 때는 거대한 기둥이 바로 보였다. 그 위압감은 굉장해서 도무지 적응되지 않을 정도로 두려움을 자아냈다.

기둥은 건축물에서 흔히 보는 기둥과는 다르다. 연한 구릿빛의 굵은 금속 선이 기둥을 따라 촘촘하게 휘감겨 있고, 그 둘레만 한 크기의 금속 링이 기둥에 결합된 상태로 위아래를 반복해서 오가며 움직이고 있는데, 그 속도는 자동차가 도로를 시속 100km 이상으로 달릴 때의 느낌과 비슷할 정도로 빠르다. '웅'하는 소리와 진동의 근원이 그것이다.

기둥에 달린 그것이 동선의 높은 끝부분에 닿을 때마다 카메라 플래시가 터지는 것처럼 스파크가 일었는데, 그럴 때마다 '퍽'하고 무언가가 터지는 듯한 소리도 났다.

그 12개의 기둥은 3개가 한 그룹이 되어, 비스듬하게 서로의 몸을 의지하는 것처럼 윗부분이 기대어져 있는데, 기둥을 따라 움직이는 링의 이동 주기도 같은 그룹 안에서는 서로 다르다. 그런데 특이한 점은, 기둥들이 서로 비스듬하게 기대며 만든 그 안의 공간에서는 검은색의 빛이 나타났다가 사라지길 반복하는 것이다. 검은색의 빛이라니, 정말 모순되는 단어의 조합이지만 정말로 그래 보였다.

창우를 이끈 두 사람 중 한 명이 말했다.

"옷, 벗어요."

창우는 순간 당황하였지만, 진행 과정에 필요한 일이라는 생각에 의문을 가지지 않고 셔츠의 단추를 하나씩 풀어 벗었다. 그리고 상대의 반응을 기다렸다.

"다 벗어요."

창우에게 그것을 요구하는 사람의 한국어 발음을 알아들을 수는 있었지만 어설퍼, 외국인이 틀림없다는 느낌을 받았다. 그와 함께 있던 다른 사람은 나름대로 자신이 해야 할 어떤 일을 하느라 바빠 보였다.

창우는 혹시 상대가 표현을 잘못한 것은 아닌가 싶어 물었다.

"전부 다 벗으란 말인가요?"

"네. 바지, 그 밑에 입은 거 속옷, 전부 다 벗어요. 시계도 풀고, 발에 있는 것도 벗어요."

알몸이 되라는 말이다. 창우는 많이 당황하여 행동을 멈추고는 주변을 둘러보았다. 창우의 주변에는 이 두 사람을 제외하고는 모두 로봇만 있다. 그렇지만, 아무리 과정 진행에 필요한 일이라고는 해도, 혼자 옷을 다 벗고 덩그러니 서 있어야 한다는 사실은 창피하고 부담스러울 수밖에 없다.

"어서 벗어요. 시간이 흘러가요."

외국인은 또박또박한 한국어 발음으로 재촉했다.

창우는 하는 수 없다는 듯 쑥스러운 표정으로 자신의 바지와 속옷, 양말 등을 벗기 시작했다. 입고 있던 옷은 하나씩 바닥에 떨어졌고, 이내 완전한 알몸 상태가 되었다.

"뒤에 보이는 캡슐 안으로 들어가요."

창우는 투명한 유리통의 한쪽에 이미 열려있던 문 안으로 들어갔다. 그러자 두 사람이 곧장 따라 들어와 안쪽에 걸려있던 투명 고무호스의 끝부분을 창우의 입에 물렸고, 양쪽 귀에는 이어폰 같은 무언가를 집어넣었다. 그 때문에 그는 귀가 꽉 찬 느낌을 받았고, 코는 차가운 재질의 무언가로 완전히 막혔다.

"입으로 숨 쉬어요."

이러한 과정에 대해 아무것도 알지 못하고 있던 창우는, 막무가내로 자신의 몸에 어떤 장치를 하는 이들의 행동에 두려움을 느꼈다. 하지만 따지거나 항의를 할 수는 없었다.

유리통의 윗부분에서 얇은 봉 두 개가 천천히 내려오더니 창우의 머리에 정확히 닿아 멈추었다. 그래서 그는 단단한 무언가가 머리에 닿는 압박감을 느꼈는데, 그러자마자 그 압박감은 순식간에 풀렸다. 굳게 펼쳐져 있던 봉이 순간 줄처럼 축 늘어진 것이다. 다만 그럼에도, 그것은 창우의 두피에 찰싹 달라붙어 떨어지지 않을 듯 보였다.

그렇게 창우의 몸에 무언가가 장치된 후 그것을 돕던 사람들은 유리통의 출입구를 통해 빠져나갔고, 그와 동시에 그 문이 완전히 닫히며 밀폐되었다. 그리고는 '치익'하는 생소한 소음이 몇 차례 반복되더니, 캡슐의 아랫부분에서 끈적하고 미끈거리기도 한 액체가 차오르기 시작했다.

창우의 가슴이 두근거렸다. 모르는 것이 약이라는 속담이 있지만, 지금은 오히려 이 상황에 대한 무지에서 오는 두려움이 컸다.

여러모로 위압적인 분위기에 압도당한 창우는 어찌할 바를 모른 채, 그저 그들이 시키는 대로 자리를 지키고 서서 눈알만 여기저기로 옮겼다. 그리고 이 작업을 마친 기술원들은 그런 창우를 혼자 내버려 두고 차갑게 등을 돌려 어딘가로 사라졌다.

유리통 바닥에서 올라오고 있는 액체는 어느덧 창우의 목까지 올라왔다. 그 액체가 짓누르는 압력이 만만치가 않아 팔이나 다리를 마음대로 움직이기가 어려웠다. 심지어 입에 호흡용 호스가 물려 있으니 꼼짝없이 갇힌 상황에 불편함을 호소할 수도 없게 된 것이다. 그렇게 이상한 액체는 창우의 몸은 물론이거니와 유리통 전체를 채웠다.

그리고 잠시 후, 솟구쳐오른 액체로 인해 눈을 감고 있던 창우의 귀에 어떤 소리가 들렸다.

"박창우. 눈 떠."

도진의 목소리였다. 무언가가 귀를 막고 있음에도 도진의 목소리가 선명하게 들렸다. 창우는 이상한 느낌의 액체 속에서 눈을 떠도 될지 잠깐 생각했지만, 도진의 말대로 눈을 천천히 떴다. 그러자 앞이 보였는데, 끈적한 액체가 가득 찬 상태였음에도 시야가 흐리다거나 눈에 불편감이 있다거나 하는 증상이 전혀 없었고, 오히려 시야가 평소보다 더 선명해져 저 멀리까지도 밝게 보일 정도였다.

창우의 시야에는 도진이 분명해 보이는 인물과 그 옆에 서 있는 로봇 하나가 보였다. 도진 역시도 괴이한 복장을 하고 있다. 아마도 피난민들을 제외한 이곳에 있는 모든 사람이 그 복장을 하고 있는 듯하다.

도진이 보이자 창우는 심적으로 안정이 되었는지 급해진 심장박동이 조금은 누그러지기 시작했다. 그리고 이 상태에 조금은 익숙해져 자신이 알몸 상태라는 것조차 잠시 잊었다.

도진은 창우의 얼굴을 가만히 보았다.

"긴장하지 않아도 돼. 별거 아니니까."

창우는 고개를 크게 끄덕였다.

"이제부터 네가 해야 할 일을 설명해줄게."

창우는 다시 고개를 끄덕이며 도진을 바라보았다.

"일단, 네가 다른 우주와의 통로를 여는 매개체가 되는 거야."

당연하게도 창우는 무슨 말인지 모르겠다는 표정으로 도진의 얼굴만 빤히 바라보았다.

"쉽게 말해, 우리가 가야 할 상대 우주에 처음 신호를 보내어, 데이터 전송 환경을 만들어주는 신호기 역할이야. 간략하게 더 알려주자면…. 모든 사람에게는 각자의 고유 파동이 있어. 말 그대로 변하지 않는 고유한 파동이지."

'뇌파와 같은 개념인가?'

"그것과는 달라. 이 우주의 일부로서, 그리고 이렇게 존재할 수 있는 그 근본으로서의 개념이거든. 세상 모든 것들이 구성되는 원천이라고 할까."

창우는 당연히 말을 할 수 없는 상황임에도, 도진은 창우의 생각을 정확하게 읽고는 마치 그의 질문을 들은 듯 응답을 해주었다. 창우는 그것에 놀랐지만, 그것보다 방금 도진의 설명이 더 이해가 안 된다는 듯 고개를 갸우뚱하며 미간을 살짝 찌푸렸다. 그러자 도진은 유리통에 붙어 있는 어떤 것에 눈길을 잠시 주고는, 창우의 생각을 정확하게 읽은 듯 말을 이었다.

"내가 얼마 전에 말했듯이 그 개수는 아직 알 수 없지만, 우주의 수는 매우 많아. 그중에서 아무것도 그려지지 않은 백지 같은 우주를 찾아야 하는데, 다행히 그러한 우주는 이미 찾았어. 그런데 발을 디딜 곳도, 아무것도 없는 곳에 갈 수는 없잖아. 우리가 가야 할 그곳에는 말 그대로 아무것도 없어. 공간도, 공기도, 빛도.

하지만 각 우주에는 그것을 만들 수 있는 재료가 담긴 그릇, 즉 에너지 뱅크가 존재해. 그래서 '네닉 시스템'을, 너를 이용해 목표 우주와 서로 동조시킬 거야. 그러면 네닉 시스템이 그 목표 우주와 연결이 돼. 통로가 뚫리는 것이지. 그 후에 그 목표 우주의 거대한 에너지 뱅크를 깨울 수 있어.

그렇게 연결된 전송로를 통해 우리가 신호를 보내면 순식간에 그 에너지 뱅크도 열리게 되는데, 그냥 그대로 놔두면 그 에너지는 무질서 속에서 서로 뭉쳐 무언가를 만들게 돼. 하지만, 네닉 시스템이 너와 연결된 통로를 통해 그 에너지의 질서를 제어할 거야.

이 설명을 듣고 생각이 많아지겠지. 이해할 필요 없어. 고민하지도 말고. 지금 그것을 이해하려 하면 안 돼. 네가 그것을 이해할 수 있으려면 긴 시간이 필요할 거니까."

'그래…. 그건 그렇고, 이제 내가 뭘 어떻게 해야 하는데?'

이제부터 창우는 마치 상대와 대화를 하듯 머릿속으로 하고 싶은 말을 떠올렸다.

"넌 그냥 편안하게 코드표를 보면 돼."

'코드?'

"정해진 시간이 되면 너의 앞에 대형 모니터를 가져다 놓을 거야. 거기에 쓰여있는 코드를 처음부터 끝까지 하나도 빠짐없이 읽어야 해.

그리고 본격적으로 시스템 작동이 진행되는 동안 너는 잡생각을 하거나, 스트레스를 받아서는 안 돼. 거기에만 집중해야 한다는 말이야. 강한 감정의 변화나 필요 외의 두뇌 활동은 시스템에 순간순간 영향을 주거든. 강한 집중력과 긍정적인 정신이 필요하지."

'만약…. 내가 그 코드라는 것을 읽는 동안 잡생각을 하거나 심하게 긴장을 해서 나도 모르게 스트레스를 받게 되면…?'

"음…. 넌 그러지 않을 거라 생각하지만, 만약 그렇게 되면…."

도진은 덤덤한 표정으로 답했다.

"아마 이 계획은 실패할 확률이 그만큼 높아지겠지. 그리고…. 너의 신체에도 큰 무리가 갈 거야."

'무리가 가다니? 어떤 식으로 무리가 간다는 거야?'

"과정이 진행되는 동안 그러한 변화성 잡파동을 억제하기 위해, 실시간으로 그 파동을 읽어 상쇄할 수 있는 인위적인 파동을 너의 몸에 계속해서 방출시킬 거야. 그래서 약간의 긴장 같은 것은 충분히 감쇄시켜 그 영향을 최소화할 수 있지.

그 자체는 너의 몸에 문제를 주지 않지만, 만약 네가 계속해서 감정을 제어하지 못하거나 집중을 하지 못해 잡파가 강하게 물결친다면, 그것을 상쇄시킬 수 있는 제어기가 그 강도나 속도를 따라가지 못할 수도 있어. 그러면 타이밍이 어긋나게 되어 전자기파가 너의 신체에 영향을 주게 돼. 좋지 않은 결과가 나올 수 있어.

　그리고 또한 코드의 입력이 흐트러지게 되면, 우리가 도착해야 할 땅은 아마 살아갈 수 없는 환경이 만들어지게 될 거야.“

　‘그게 무슨 말이야? 살아갈 수 없는 환경이 만들어지다니?’

　”그 코드들에는 우리가 가야 할 곳의 환경을 만들어주는 신호도 포함되어 있어. 만약 그 코드 중 하나라도 누락이 되거나 잘못된 데이터가 거기로 흘러 들어가면, 오류가 생겨 이상한 환경이 만들어질 거라는 말이지. 맨 바탕에 컴퓨터 프로그래밍 코드를 넣어 공간 이미지를 디자인한다고 생각하면 돼.

　물론 우리 연구원들이 너로부터 발생하는 오류가 없는지 계속해서 확인할 거야. 그리고 만약 오류가 발견된다면 최대한 그것을 막으려고 노력을 할 거야. 하지만 그것을 바로잡는 과정에서 시간이 소요되고 그것이 한계치를 훌쩍 넘기게 된다면, 모든 계획이 흐트러질 수 있어. 기회는 한번, 가능한 단 한 번에 끝내야 해.“

　그 말에 한껏 심란해진 창우는 인상을 찌푸린 채 그저 눈만 껌벅이며 고개를 갸우뚱거렸다.

　”넌 그냥 나와 동료들이 시키는 대로 아무런 생각 없이 받아들여야 해. 그냥 너는 평소의 너처럼 해. 그래야 성공할 수 있어. 내가 미리 너에게 이런 설명을 하지 않은 것은 그런 이유 때문이야. 미리 말했다면 너는 아마 실수하지 않으려고 끊임없이 의식하고 있었을 테니까. 오히려 그런 생각을 반복하면 할수록 실전에서는 실수를 낳지.“

　‘그런데, 어째서 그런 중요한 일을 내가 해야 하는 거야? 왜 내

가 이 중요한 일의 적임자가 된 것이지?'

"첫 번째로, 나와 동료들은 시스템의 제어와 진행 과정을 통제해야 해. 인공지능과 로봇들이 지원을 해주고 있지만, 인간이 나서서 해야 할 일이 있다는 것이지. 그래서 그 일을 해줄 적합한 인물이 필요해.

그리고 두 번째, 너의 고유 파동은 매우 안정적이야. 변화성 잡파가 다른 이들보다 약하다는 말이지. 쉽게 말해서, 꽤 건강한 심신의 소유자라고나 할까."

'내가? 내가 그렇게 특별할 정도라고?'

"아니, 그 반대야. 특별하지 않아. 오히려 지극히 평범한 것이 너의 강점이야. 평범하게 생각하고, 평범하게 행동하는 것."

'그건 그렇고, 나의 고유 파동이 안정적? 그걸 네가 어떻게 알 수 있어?'

도진은 갑자기 몸을 움직여 그 근처에서 손바닥만 한 어떤 물건 하나를 가져왔다.

"이것이 신체의 파동을 읽을 수 있는 장치야. 너는 눈치채지 못했겠지만, 나는 학교 다닐 때 이것을 사용해서 많은 사람의 고유 파동을 확인했지. 물론 고유 파동이 안정적인 사람은 너뿐만이 아니었어. 김한주, 이세연, 그리고 다른 학과에도 몇 명이 있었어.

나는 그들 중 하나를 선택해야 했는데, 네가 나와 가장 자연스럽게 엮였어. 그래서 나는 너를 선택했지."

도진은 손에 들고 있던 측정기를 바닥에 내려놓고는, 창우를 똑바로 바라보았다. 그러고는 간결하고 단호한 말투로 말을 이었다.

"정신 똑바로 차려야 해. 이 일은 중요하면서도 굉장히 단순해. 넌 과정이 시작됨과 동시에 너의 눈앞에 보이는 코드표에 집중하면 돼. 그냥 그러면 돼. 단순한 비디오 게임이라고 생각해."

'그, 그런데, 그냥 코드를 읽는다고 해서 우리가 모두 다른 우주로 갈 수 있는 기야? 니의 몸을 통해 다른 우주로 신호를 보내어 우리가 생존할 수 있는 환경을 만든다는 것은 알아들었어. 그런데 우리의 몸은 어떻게 거기로 갈 수 있지? 그것도 코드를 읽어서 하는 거야?"

도진은 시선을 아래로 내리더니 잠시 무언가를 생각 후 말했다.

"우리가 생존할 수 있는 최소한의 환경이 만들어진다면, 너의 말대로 우리의 몸을 거기로 이동시켜야 해. 일단 네가 시동을 제대로 걸어주게 되면 이 '네닉 시스템'과 그쪽 우주 사이에 통로가 열려서 유지되는 거야. 자동차의 시동을 한 번만 걸면 그것을 끌 때까지 운행할 수 있는 것처럼.

우리의 몸이 이동한다는 것은 물리적으로 다른 공간에 이동한다는 개념이 아니야. 우리의 신체와 그것을 이루고 있는 전기적 에너지, 즉 정신이 데이터 신호로 바뀌어 전송되는 것이지. 세포, 분자, 원자 그 이하까지도 데이터로 만들어져서 그곳, 그 목표 우주로 전송이 될 거야. 너의 신체와 정신이라고 표현되는 것들은 데이터화되어, 우리가 가야 할 우주와 연결되는 통로로 그 정보가 송출되기 시작해. 그러면 목적지에서 원래대로 재생이 되는 것이지. 조금 더 정확하게는 복사가 되는 것이야."

창우는 이해가 되지 않는다는 표정을 다시 지어 보였다. 그 설명 자체가 이해되지 않는 것이 아니라, 그게 가능하다는 것 자체가 이해하기 어려운 것이다. 지금 이곳에서 창우는 대학교 강의실에서 전공과목을 배우는 평범한 초등학생 같았다.

'복사? 이동이 아니라 복사? 그건 무슨 의미지?'

"말 그대로, 원본은 그대로 두고 복사본을 목적지로 보내는 거야."

"그렇다면, 이 지구에 있는 나, 다른 우주에 있는 나, 이렇게 둘이 되는 거야?"

"일시적으로는 그렇게 되는 셈이야. 데이터가 100퍼센트 전송되면, 별도로 주는 신호에 따라 복사본은 생명을 부여받아 활동할 수 있는 상태가 되는 것이지."

"그렇다면 네가 말하는 원본은? 지금 이 상태의 나는 어떻게 되는 거야?"

"원본과 복사본, 양쪽 모두가 동시에 유지될 수 없어. 대 우주의 법칙에 따라 둘 다 생존 상태로 존재할 수 없게 되어있거든. 쉽게 말해 너의 고유 아이디는 전체 대 우주에서 단 하나가 되어야 하는 거야. 그게 대 우주에 정의된 물리법칙이야. 그러면…. 원본의 신체는 이곳에 그대로 있겠지만 활동을 할 수 없는 상태가 되어버리지. 건전지를 뺀 장난감 같은 거라고 할까…."

창우는 상상했던 것보다 훨씬 더 복잡하고 생소한 탈출방식에 더는 생각을 잇지 못하고 마른침만 반복해서 삼켰다. 하지만 입에 끼워져 있는 호흡용 호스 때문에 그조차도 쉽지 않았다.

그것을 본 도진이 근처의 로봇에게 무언가를 지시했다. 그러자 로봇이 유리통 인근의 장치들에서 무언가를 조작하더니 곧 창우의 허벅지 쪽에 따끔한 느낌이 들었고, 그와 동시에 갈증이 빠르게 해소되기 시작했다.

"다시 말하지만, 어려운 건 없어. 너는 편한 마음으로 해야 할 일을 해주면 돼. 넌 그냥 내가 알려주는 대로 정확히 따라줘. 더 궁금한 건?"

'궁금한 것은 많은데, 내가 더 알아봤자 의미는 없을 것 같아. 이게 어떻게 진행되는 것인지는 알게 되었으니 됐어. 아, 그리고. 나 잠깐 부모님과 여자친구와 얘기를 좀 하고 싶은데.'

"안돼. 이제부터 넌 거기를 벗어날 수 없고, 타인도 이곳에 함부로 올 수 없어. 이미 시스템 가동이 시작되었거든. 너의 신체 데이터를 네닉 시스템이 분석하는 중이야."

도진은 자신의 왼쪽 위 방향의 높은 벽에 걸려있는 거대한 디지털 시계와 카운터를 슬쩍 보고는 말을 이었다.

"우리는 정확히 138분 후에 전송로를 열거고, 그것이 열리면 너의 신체가 먼저 목표로 전송이 될 거야. 그리고 그 이후 대기자들이 차례대로 따라 탈출하기 시작할 거고."

도진과 진성이 이렇게 시간을 강조하는 데는 이유가 있다. 네닉 시스템은 그 진행 과정에 영향을 주는 태양을 비롯한 달과 태양계 행성들의 위치, 그리고 현재 다가오고 있는 괴물체의 예상 진로, 심지어 날씨와 기압까지 현시점 기준에서 정밀하게 계산되어 작동하게 되어있다.

사실 원래의 계획대로라면 138분 후가 아닌 4시간 정도의 여유가 더 있어야 하지만, 날씨 문제로 인해 계획된 시간에서 그만큼 단축되었다. 즉, 네닉 시스템의 작동에 영향을 줄 수 있는 모든 요소를 실시간으로 반영하고 고려할 수밖에 없는 것이다.

창우는 도진을 보며 생각했다.

'내가 이 임무를 완벽하게 완수한다면 우리 모두 제대로 탈출할 수 있지?'

"물론. 그럴 거야. 계획에 없던 인원이 추가되었으니 그만큼 성공 확률은 줄어들겠지만…. 일단 비상용 예비 발전기와 시스템을 추가로 가동했는데, 다만, 그것들이 잘 버텨줄지는 확신할 수가 없군. 이론적으로는 완벽하게 꾸민다고 하더라도 언제나 변수라는 놈이 어딘가 숨어 있다가 나타나니까 말이지."

"그래…. 그건 정말 미안해. 내가 약속을 어겼으니. 대신 내 역할을 최선을 다해서 수행하겠어. 그리고…. 네가 대신해서 부모님과 예은이에게 난 괜찮으니 나중에 다시 만나자고 전해줘. 지금 아마 걱정들 하고 계실 거야."

도진은 대답없이 그저 고개만 살짝 끄덕였다. 그 후로 도진은 몇 가지 중요한 사항을 창우에게 전달했고, 그렇게 창우와의 대화를 끝낸 도진이 뒷주머니에서 무언가를 꺼내어 들어 조작하자, 이내 인공지능 로봇들이 여럿 몰려왔다. 그리고 그것들은 창우가 들어가 있는 유리통을 에워싸고 분주하게 무언가를 하기 시작했다.

로봇들이 하는 행동에는 창우가 벗어놓은, 바닥에 떨어져 있던 옷들을 주워가는 것도 포함되어 있었다. 그리고 로봇들에는 별다른 시선을 주지 않은 채 이 자리를 떠나려던 도진의 발걸음이 마치 자동차가 급제동하듯 갑자기 멈췄다.

도진의 시선은 창우가 벗어놓은 옷가지와 지니고 있었던 몇 가지 물건들에 집중되었다. 정확히 무엇을 보고 있는 것인지 알 수 없는 도진의 시선은 꽤 오래 그것을 향해 머물렀고, 잠시 후 도진은 바쁜 걸음으로 이 자리를 떠나 어딘가로 향했다.

도진이 창우에게 마음을 편하게 가지라고 했지만, 정작 당사자로서는 그것이 쉽지는 않다. 매사에 낙천적이고 긍정적인 그이지만, 이 계획에서 중요한 임무를 맡았다는 사실과 생각보다 위험하고 복잡한 과정이 그의 정신을 압박했다. 하지만 도진이 평가한 대로, 그가 받아들이는 그 압박감의 적응은 일반적인 사람들보다는 훨씬 빠른 편이다. 그래서 긴장감이 빠르게 휘발되고 있다.

창우가 그렇게 네닉 시스템의 부품 역할을 충실히 준비하고 있을 때, 도진은 이 계획의 핵심구성원들과 짧은 회의를 진행했다. 그리고 그 후에는 진성이 이 지구를 탈출할 사람들이 모인 각 대기실로 가, 거기에 있던 사람들을 다른 공간으로 이동시키기 시작했다.

다른 공간이란, 모든 사람을 다 모을 수 있는 넓은 곳으로 그역시도 대기실이다. 다만 피난민들이 각각 나뉘어 모인 상태가 아니라 모두가 한자리에 모인다는 점이 이전과는 다르다.

진성이 오간 대기실은 17개이다. 그렇다면 정해진 탈출 대기자는 대략 500명 정도가 된다는 의미이다. 정확하게는 503명이다.

그렇게, 본격적으로 탈출을 위한 준비가 마무리되고 있다.

도진의 과거

[괴물체와 지구가 충돌하기 7년 전.]

한겨울로 들어서던 어느 날. 연말연시로 들뜬 사람들이 번화가를 배회하고, 또는 갖은 방법으로 추위를 피하며 모든 생명체가 몸을 웅크리며 움츠러들고 있을 때, 고등학생쯤으로 보이는 한 남학생이 버스 정류장에 서 있다.

정돈되지 않아 이리저리 엉켜있는 덥수룩한 머리카락에, 움직일 때마다 섬유 마찰 소리가 크게 들리는, 저렴해 보이는 겨울 외투를 입고 은색 안경을 쓰고 있는 이 학생은 추위에도 장갑하나 끼지 않은 맨손으로 어떤 책을 쥐고는 그것에만 시선을 두고 있다. 그리고 버스가 다가오는 소리가 들리면 고개만 살짝 돌려 그것을 확인하는 정도가 움직임 대부분이다.

그가 등에 메고 있는 가방에는 덜렁거리는 작은 태그가 하나 붙어 있는데, 그것에는 '차도진'이라는 글자가 성의 없어 보이는 글씨로 적혀 있다.

그리고 그의 근처에는, 그런 그를 10분째 가만히 지켜보는 한 남자가 있다. 나이는 40대 후반쯤 되어 보이고 이국적인 얼굴 모습에, 평범한 비즈니스 복장의 남자는 차도진에게 다가가 말을 건넸다.

"뭘 그렇게 열심히 보고 있는 건가?"

도진은 순간 눈을 크게 뜨며 그 목소리의 근원으로 눈동자를 옮겼다. 그러고는 시시하다는 표정과 함께 팔을 조금 높게 들어, 읽고 있던 책의 표지를 그 남자에게 보여주었다.

"전자기학? 아직 고등학생인 것 같은데, 그런 걸 봐?"

도진은 경계하는 태도로 그 물음에 짧게 응했다.

"네, 뭐….."

그 사정을 모르는 이가 보았을 때는 분명히 일반적이고 흔한 경우는 아니다. 대입을 앞둔 학생이라면 정규 교과과정에 몰두해도 모자랄 텐데 굳이 어려운 대학교 전공 교재를, 그것도 이 추운 날씨에 버스를 기다리며 심심풀이로 읽고 있는 것은 특이해 보일 수밖에 없다.

"학생, 학교 성적은 어때? 좋아? 물어보나 마나, 이런 취향이라면 당연히 학업 성적도 우수하겠군."

도진은 대답하지 않았다. 그는 학교라는 기관에 발을 끊은 지 오래였기 때문이다. 정규 교육과정 자체를 부정해서라기보다는, 대인관계의 문제와 자신의 수준에 맞지 않는 교육 시스템의 탓이 컸다. 그리고 그러한 이유가 아니더라도 낯선 자로부터의 무례한 질문에 대답할 필요는 없다.

하지만 잠시 후, 도진은 그 질문에 대답을 해야 했다.

"학교 안 다녀요."

남자의 여유와 기세가 느껴지는 목소리에, 자신의 의지와는 다르게 그 질문에 대답하고 만 것이다. 하지만 자신을 더는 귀찮게 굴지 말라는 의사의 표현은 표정으로 충분히 보여주었다고 생각했다.

학교에 다녀야 할 나이의 학생이 학교에 다니지 않는다는 사실에도 남자는 전혀 놀라는 기색이나 어떤 감정의 변화를 보이지 않았다. 버스를 기다리는 것이 지루해 말동무를 찾은 것이라면 그 주제로 말이 이어졌어야 마땅할진대, 그것에 대해 추가적인 질문이라거나 그 자체에 관심도 보이지 않았다. 마치 이미 알고 있었다는 것처럼.

그런 도진을 잠시 곁에서 가만히 지켜보던 남자는 한 가지 제안을 했다.

"혹시, 아주 바쁘지 않다면 잠깐 얘기 좀 할까?"

그러자 도진은 표정이 굳어지며 눈을 빠르게 껌벅였다.

"왜…. 그러시는데요?"

"자네의 재능이 유용하게 쓰일만한 일이 있어서 말이지."

도진은 경계하듯 발을 살짝 뒤로 물리며 몸을 뺐고, 그러자 남자는 상대의 심중을 이해한다는 듯 옅은 미소를 짓고는, 입고 있던 재킷 안쪽 주머니에서 무언가를 꺼내어 들었다. 그것은 명함이다.

남자는 흰색의 여백이 많은 그것을 도진에게 건넸고, 도진은 또다시 자신의 의지와는 상관없이 반사적으로 그것을 왼손으로 받아들었다. 그러고는 그것을 보았다.

거기에는, 한 면에는 '전달자'라고 쓰여 있고, 반대쪽 면에는 그저 영어와 숫자, 그리고 기호들이 조합된 문장 두 줄이 이어 적혀 있다. 그리고 한 가지 더 특이한 점은 둥근 원 두 개가 겹쳐진 듯 보이는 문양이 한쪽 귀퉁이에 그려져 있다는 것이다.

"거기로 접속해봐."

해당 주소로 인터넷 웹 브라우징을 해보라는 말이었다.

도진은 아무 말 없이 그것을 손에 쥔 채 고개를 갸우뚱거리며 남자의 얼굴을 보았다. 그러자 남자는 손으로 도진의 팔 부분을 손바닥으로 툭 치며 말했다.

"잘 부탁해."

그러고는 미소를 머금은 채 몸을 돌려, 여유 넘치는 걸음으로 그 자리를 떠났다.

도진은 멀어지는 그 뒷모습을 가만히 보고 있다가 그가 시야에서 완전히 사라지자, 손에 들고 있던 그것을 바닥에 떨구었다. 그러고는 다시 시선을 책으로 가져갔다.

'도대체 뭐 하는 사람이야? 갑자기 나타나서는 쓸데없는 말만 늘어놓고 가다니. 미친놈인가.'

조금 전까지의 상황은 일어나지 않았던 셈 치고 원래 하던 일을 이어 하던 도진은, 그가 탑승해야 할 버스가 정류장에 도착하자 읽고 있던 책을 덮었다. 그리고 문이 열린 버스에 올라타려는 순간,

왜인지 자신이 바닥에 떨군 그 명함으로 고개를 돌려 그것을 바라보았다. 이 역시도 그가 전혀 의도하지 않은 행동이었다.

분명히 이상해 보이는 낯선 자가 건네준 쓸데없는 한낱 종이일 뿐인데, 그것을 버려두고 가면 안 될 것 같은 강한 압박감이 밀려왔다. 그것은 단 몇 초 만에 솟구친 순간적인 감정이었다.

그래서 결국, 그는 마치 새로운 강박증이 생기기라도 한 것처럼 버스에 올라타다 말고 그 명함을 주워들었다. 그 후 그는 버스 안 가장 뒷자리의 비어있던 자리로 가 앉았다. 그리고 읽고 있던 책을 잠시 제쳐두고 손에 쥔 명함을 유심히 관찰하며 생각했다.

'그렇군. 미친 사람이 아니라, 무슨 수험서나 교재 같은 것을 판매하는 사람인가 보네. 그래서 성적이 어떠냐느니 잠깐 얘기 좀 하자느니 했겠지. 여기로 들어가면 상품 소개 영상이나 사진 같은 게 나오겠지. 음…. 그런데…. 잘 부탁한다는 건 무슨 말이지? 상품을 사달라는 의미? 그래 뭐, 그런 거겠지.'

도진은 그저 차가운 표정을 한 채 들고 있던 명함을 다시 바닥으로 떨구었다. 그의 손에서 벗어난 그것은 공기와의 마찰에 잠시 나풀거리더니, 버스 바닥의 한구석에 정착했다.

다음날, 일상인 듯 같은 시간에 인근 도서관을 다녀온 도진은 어제처럼 같은 장소에서 버스를 기다리고 있다. 오래지 않아 그가 탑승해야 할 버스가 정류장에 도착했고, 언제나 그랬듯 가장 뒷좌석으로 가 앉았다. 그런데 그의 일상을 방해하는 듯한 무언가가 그의 시선에 걸렸다. 그것은 어제 한 낯선 남자로부터 받아 든 후 다시 버린 그 명함이다.

'아니, 이 버스는 내부 청소도 안 하나? 어제 버린 게 그대로 있네.'

굳이 그러지 않아도 되었겠지만, 도진은 한구석에 머물고 있던 그것을 신발의 비닥으로 쓱쓱 문질러 사람들이 잘 볼 수 있을 만한 곳으로 옮겼다. 그러고는 그것에서 시선을 돌려 언제나 하던 루틴에 따라 손에 쥐고 있던 책을 펼쳐 들었다.

그리고 다음 날, 여전히 같은 시간과 같은 장소에서 버스에 올라탄 도진은 언제나처럼 가장 뒷좌석으로 몸을 옮기려 했으나, 그곳에는 이미 그곳을 차지하고 있는 사람들로 가득했다. 그래서 하는 수 없이 중간에서 조금 앞에 있는 좌석에 앉았다. 그리고 그가 손에 들고 있던 책을 펼쳐 들려던 찰나, 무언가가 강렬하게 그의 시선을 사로잡았다. 그것은 이틀 전에 누군가로부터 받은 그 명함이다.

'어제 분명히 뒤쪽에 있던 건데, 어떻게 여기까지 왔지? 사람들 발에 차여서 옮겨졌나 보네.'

그는 애써 그것을 무시하려 했다.

하지만 다음날에도, 그 명함에 발이라도 달려 그를 따라다니는 것처럼 매일 계속해서 도진의 눈에 띄었다. 그는 평소 그러한 것에 둔감했지만 이번만큼은 그렇지 않았다.

그는 그 명함을 다시 주워들어 먼지를 툭툭 털고는 바지의 뒷주머니에 집어넣었다. 그 행동은 그것에 관심이 있어서라기보다는,

계속해서 눈에 거슬리는 존재를 제거하려는 의도라고 봐야 한다.

그렇게 눈에서 멀어진 그것의 존재를 잊은 채 집에 도착한 도진은 방에 들어서자마자 외출복을 몸으로부터 훌훌 털어내고, 잘 늘어나는 재질의 홈웨어로 갈아입었다. 그러고는 바닥에 깔려있던 두꺼운 이불 속으로 들어가 누웠다.

무표정 속에서도 희미하게 무언가 만족스러운 표정을 지어 보이던 그가 무심결에 고개를 옆으로 돌렸을 때, 그곳에는 버스 안에서 주워온 그 명함이 바지 주머니에서 어느샌가 빠져나와 방바닥에 덩그러니 놓여 있다. 그것은 마치 질긴 인연처럼 매일 계속해서 그에게 발견되고 있는 것이다.

이제 더는 그 존재를 무시할 수 없던 도진은, 귀찮다는 표정과 함께 느릿느릿 몸을 일으켜 이불 밖으로 빠져나왔다. 그리고 방바닥에 놓여 있던 그 명함과 함께 책상 위에 있던 태블릿 컴퓨터를 손에 쥐고 다시 이불 속으로 들어왔다.

'이게 뭐라고 계속해서 눈에 띄네. 별로 궁금하지는 않은데. 그저 시시한 학습 교재 따위일 텐데….'

도진은 그 명함을 가만히 보았다.

'그래. 너도 나 따라다닌다고 고생했을 테니, 성의를 봐서 무슨 내용인지는 봐주마.'

도진은 태블릿 컴퓨터의 웹브라우저를 열어 명함에 쓰여있는 문자들을 하나씩 입력했다. 그리고 잠시 후 태블릿 컴퓨터의 화면에 무언가가 출력되기 시작했다.

'응? 이게 뭐야. 학습 교재 홍보물이 아니네.'

화면에 출력되고 있는 콘텐츠는 교재나 학습물 따위를 소개하는 내용을 담은 것이 아닌, 짙은 회색 바탕에 몇 가지 메뉴가 간단하게 구성된, 그 목적을 알 수 없는 웹사이트이다. 본격적인 콘텐츠를 열람할 수 있는 각 메뉴 진입 기능들은 생소한 기호로만 짤막하게 표기되어 그 내용을 짐작도 할 수 없게 되어있다.

화면에 출력된 웹사이트를 본 도진은 괜한 시간을 낭비했다는 생각에, 자신에게 무의미한 그 화면을 꺼버리려 했다. 하지만, 웹사이트의 중심을 차지하고 있는 단 하나의 사진으로 인해 그러지 못하고 조금 더 시선을 머물러야 했다.

그것은 무수히 많은 별이 점처럼 찍혀 있는, 우주 공간으로 보이는 배경에 마치 크고 굵은 고구마처럼 생긴, 은빛으로 보이기도 하고 회색빛으로 보이기도 하는 한 괴상한 물체가 덩그러니 있는 사진이다. 그 사진의 아래에는 영문으로 아주 작게 '지구를 향해 갑니다.'라고 쓰여있다.

누운 채로 그것을 보고 있던 그는 몸을 조금은 세워 자세를 고쳤고, 웹사이트의 내용을 자세히 읽어보겠다는 생각으로 어떤 내용이 담겨 있을 메뉴바를 하나씩 눌러보았다. 하지만 모든 내용이 접근 불가하다며 차단되어 있다. 다만, 회원가입을 하면 허용이 된다는 단서가 주어졌다.

도진은 즉시 이 웹사이트의 회원가입을 시도했다. 일반적인 상업용 웹사이트나 커뮤니티 가입 절차보다 훨씬 더 간소한 편이다. 이름과 생년월일을 입력하는 것이 전부이다.

'무슨 사이트인지도 알 수 없는데, 내 이름과 생년월일을 제출한

다는 게 뭔가 찜찜하네. 가명으로 가입해보자.'

도진은 다른 이름과 생년월일을 생각나는 대로 입력했다. 하지만 존재하지 않는 정보라며 거부 메시지만 출력되었다.

'허술한 줄 알았더니 개인정보 데이터베이스와 연동되어 있나 보군. 그렇다면….'

그는 자신의 동생 이름과 생년월일을 기재해보았다. 하지만, 존재하지 않는 정보라며 다시 거부되었다.

'뭐야…. 맞는데, 왜 정보가 없다고 그러지?'

도진은 잠시 고민 후, 하는 수 없다는 표정으로 자신의 이름과 생년월일을 정확하게 입력하였다. 그러자 확인에 성공했다는 메시지와 함께 특이한 조건 한가지가 더 출력되었다. 그것은 '이곳으로 안내를 해준 사람의 인상착의를 정확히 선택하여 제출하라.'는 것이다. 그 문구의 아래에는 머리카락 스타일과 색부터, 목소리와 눈과 코의 모양, 입고 있던 옷 등의 약 20가지 문항이 나열되어 있다.

도진은 눈을 감고 생각에 잠겼다.

'벌써 4일이나 지난 일이잖아. 이상한 사람이나 교재 판매원쯤으로 치부했으니 제대로 기억날 리가….'

그는 자신에게 명함을 건넨 그 남자의 인상착의가 기억날 리 없다고 생각했지만, 평소 단순한 생활을 하며 잡다한 정보들을 두뇌에 입력하지 않았던 덕분에, 마치 넉넉하게 공간이 비어있는 메모리카드를 가진 캠코더로 촬영한 것처럼 며칠 전의 그 이벤트가 머릿속에 아직 생생하게 저장되어 있었다.

도진은 질문 항목들을 하나씩 표시해나갔고, 단숨에 모든 문항에 답을 써넣었다. 그리고 회원가입서 제출 버튼을 누르려던 찰나, 그 인근에 명시된 한가지 문구가 눈에 들어왔다. 그것은 제출 버튼을 누르는 순간 이 가입 과정을 다시 반복할 수 없다는 것이다. 즉, 질문 항목을 하나라도 틀릴 시 회원가입에 실패하며, 그 이상의 가입 시도는 허용하지 않고, 웹사이트의 내용도 열람할 수 없다는 의미이다.

도진은 망설이지 않고 제출 버튼을 눌렀다. 한 장의 사진이 그의 호기심을 자극했지만, 가입이 안 되면 그만이라는 식으로 대수롭지 않게 여겼다.

회원가입이 성공했다. 그리고 즉시 모든 콘텐츠의 열람 권한이 부여되었다. 그러자 화면에 나타난 기호와 모든 글자가 갑자기 한국어로 변환되었다.

도진은 웹사이트의 콘텐츠를 천천히 읽어나갔다. 그리고 내용을 읽어나간 지 1시간쯤 지났을 때, 바닥에 반쯤 누워있던 그의 몸은 어느새 책상 의자에 정자세로 앉아 있게 되었고, 눈빛은 반짝거렸으며, 그의 손은 펜을 쥔 채 무언가를 노트에 기록하느라 바쁜 상태가 되었다.

'이 내용은…. 현시대의 인간들이 생각할 수 있는 것들이 아니야. 그런데, 누구인지는 모르겠지만 분명히 인간이 이 내용을 썼을 텐데. 혹시 나에게 명함을 줬던 그 사람이?'

그가 보고 있는 내용은 물질의 생성 근본, 그리고 공간의 근원과 시간에 대한, 인류가 알고 있는 상식적 개념을 완전히 벗어난, 몇 세대가 지나도 감히 이루어낼 수 있을까 싶을 정도로 고도화되고 진보된, 한편으로는 이상한 과학적 이론과 기술들이다. 그것은 분명히 누군가 현시대 또는 그 이전의 인간이 발견과 연구했을 내용이라는 것이 모순된다.

도진은 글자와 수식, 그리고 도면과 그림 등이 적절히 어우러져 있는 내용을 쉬지 않고 자신이 알아보기 쉽도록 노트에 써 내려갔다. 그가 손에 쥐고 있던 펜을 놓은 건 그로부터 약 5시간이 지난 후이다.

도진은 웹사이트의 메인 화면에 크고 선명하게 나타나 있는 사진을 가만히 보았다.

"지구를 향해 간다? 지구를 향해 간다라…. 흐음….."

그는 노트에 기록한 내용과 군고구마처럼 생긴 물체의 사진을 번갈아 보았다. 그리고 온라인 검색으로 혹시 이와 관련된 뉴스 기사나 공개된 내용이 있는지 찾아보았다. 하지만 그러한 내용은 전혀 찾아볼 수 없었다.

'그건 그렇고, 그 아저씨는 왜 나에게 이걸 알려준 것이지? 나의 개인정보로만 열람할 수 있게 되어있다는 것은, 그 사람이 나에게 접근한 게 우연은 아니라는 건데. 이 내용은 일반적인 고등학생이 이해할 수 있는 것들이 아니야. 고등학생은커녕 이 분야 전문가들조차도 아마 말도 안 되는 내용이라고 할 게 뻔해 보이는데….

그렇다면 내가 이런 내용을 이해하고 받아들일 수 있다는 것을 미리 알고 있었다는 건가? 설마 그때 전자기학 책자를 들고 있는 것을 보고 나에게 접근한 건가? 아니야. 이 내용은 인류가 연구해 낸 그 어떤 기술이나 이론보다 훨씬 수준이 높은 거야. 기껏 대학생이 볼만한 책 한 권 들고 있었다고 해서 이런 내용을 보게 한다는 건 말이 안 돼. 도대체 그 남자의 정체가 뭐야? 그리고 내가 뭘 하길 바라며 이걸 알려준 길까…. 도대체 뭘….'

도진은 태블릿 컴퓨터의 화면을 가만히 바라보며 생각에 잠긴 채, 무의식적으로 화면의 한 부분을 손가락으로 툭툭 쳤다. 그러자 갑자기 화면이 전환되며 출력되는 내용이 바뀌었다.

바뀐 화면에 나타난 것은 여러 사람이 의견을 쓰고 볼 수 있는 게시판이다. 흔한 웹사이트들과 별다를 것 없는 인터페이스이지만 도진은 흥미롭다는 표정으로 화면을 가만히 지켜보았다. 각 게시물은 영어, 일본어는 물론이거니와 독일어와 스페인어 등의 다양한 언어로 작성되어 있기 때문이다.

언어 분야에는 특별한 재능이나 흥미가 없던 도진이 잠시 당황하며 지켜보던 중, 갑자기 모든 각국의 언어들이 모두 한국어로 변환되었다. 다만 게시글의 한편에는 작성자가 소속된 국가의 국기가 아이콘 형태로 표시되어 있어, 어느 나라 사람이 게시한 글인지 쉽게 알 수 있다.

"자동번역기능이 기본으로 탑재되어 있나보군."

하지만, 자동번역기능으로 번역이 되었다고 보기에는 오역이나 어색한 문장이 전혀 없이 말끔하게 한국어로 바뀌었다.

도진은 300개 넘는 게시글을 아래에서부터 하나씩 읽어나가기 시작했다. 이 게시판은 도진보다 먼저 회원으로 가입한 사람들의 토론장이 되어있었고, 주제는 당연히 이 웹사이트가 게재하고 있는 학술적 내용과 고도화된 어떤 기술, 그리고 지구로 오고 있다는 물체에 관한 것이다.

도진은 자신의 경우처럼 정체불명의 사람에게 이끌려 이 내용을 알게 되었을, 각국의 선택받은 사람들이 작성한 글들을 쉬지 않고 모두 읽었다.

'그러니까, 사진의 이 물체는 특정한 별을 추적하여 파괴하는 미사일쯤 되는 것이고, 이것이 지구로 다가오고 있다는 것이군. 즉, 어디선가 지구를 목표로 쏜 미사일이라고 봐야 하는 건가? 그리고 이것을 인류가 미리 관찰할 수 없는 이유는, 우주 공간의 틈을 통해 우리 은하로 들어오기 때문에 관측이 되었을 때는 이미 꽤 근접한 상태일 거라는 말이네. 음….'

도진은 몇 시간에 걸쳐 자신이 본 것에 대해 심각하게 생각하지 않았다. 지구를 파괴하러 오는 물체라느니, 공간의 틈이라느니 하는 내용에도 시큰둥했다. 그저 생소한 학술적 내용에 대한 호기심을 가졌을 뿐이다.

그는 이것을 수학과 물리, 응용과학 등에 정통한 누군가가 장난 삼아 온라인에 등록해놓은 괴상한 콘텐츠일 뿐이라고만 여겼다. 이러한 사진과 이야기 따위는 이 분야의 지식을 가진 개인이 창작하는데 이틀이나 사흘 정도면 충분할 것이고, 겉으로는 꽤 고도화되고 인류의 수준을 뛰어넘은 듯 보이는 과학적 이론 역시도 실재한다는 근거와 증명이 빠져있기 때문에, 따지고 보면 말장난에 불과한 것일 수도 있다.

도진은 잠시 태블릿 컴퓨터에서 시선을 떼고 한참을 가만히 생각하더니 피식하고 웃었다. 그러고는 다시 태블릿 컴퓨터에 손가락을 올려 바쁘게 움직이기 시작했다.

　그는 단 30분 만에 게시글 하나를 등록했다. 주제는 지구의 멸망으로부터 피하는 방법이다. 웹사이트에 기재되어 있는 내용을 바탕으로 장난삼아 쓴 글이다.

　'내가 적어놓고 봐도 신선하긴 하네. 다른 우주로 가는 방법이라니. 만약 정말로 피할 수 없는 소행성이나 혜성이 갑자기 지구로 닥친다면 이 방법으로 피할 수 있을까?'

　도진은 그 장면을 상상했다. 이 웹사이트에 등록된 과학 기술적 내용이 만약 사실이라면, 충분히 가능하고도 남을 일이다. 하지만 그러한 상상도 지금 그에게는 그저 시간 보내기일 뿐이다.

　그로부터 10일 후, 도진의 집으로 우편물 하나가 도착했다. 가로길이 30cm 정도의 우편 봉투에는 발신지 부분의 인쇄가 어색하게 짓눌려 지워져 있고, 수신자에는 정확하게 '차도진'이라는 이름과 그의 집 주소, 심지어 전화번호까지 정확하게 기재되어 있다.

　외출 후 집으로 돌아와 집 문 앞에 놓인 그 우편물 봉투를 발견한 도진은, 의아한 듯 그것을 가만히 바라보다가 방으로 가지고 들어왔다.

　'이게 뭐지? 발신자를 알 수 없게 해놨네. 딱 그 부분만 지워진 것을 봐선 누가 일부러 지운 건가? 그나저나, 꽤 묵직하군.'

도진은 두꺼운 우편 봉투를 천천히 풀어 열었다. 그러자 곧장 보인 것은 흰색의 또 다른 큰 봉투였고, 그 봉투를 한 번 더 열었을 때 그 안에서는 도진의 이름으로 발권된 편도 항공권과 여권, 현금 2000달러, 그리고 반듯하게 접혀있는 종이 한 장과 빳빳하고 두꺼운 카드지 한 장이 보였다.

　"이게 뭐야?"

　그는 왜 이런 것들이 자신에게 배송된 것인지 모르겠다는 표정으로 접혀있던 종이를 펼쳐 읽기 시작했다. 그것에는 남태평양의 한 섬으로 가는 방법이 간략하게 적혀 있고, 카드에는 초대장이라는 제목으로 특정 날짜와 장소가 기록되어 있다. 무슨 목적과 의도로 도진을 초대하는지에 대한 내용은 전혀 적혀 있지 않다. 게다가 초대장이 가리키는 그 장소는 생소하다 못해 한 번도 들어본 적이 없던 어떤 섬의 한 장소이다.

　도진은 얼른 태블릿 컴퓨터를 켜, 지도 앱을 통해 해당 위치를 찾아보았다. 하지만 아무리 검색을 해봐도 해당 명칭으로는 검색 결과가 나타나지 않았다. 우편물로 포함된 항공권 역시도 도착지가 뉴질랜드일 뿐 최종 목적지까지의 직항이 아니다.

　도진은 내용물 전체를 하나씩 자세히 살폈다.

　'인천국제공항에서 이 항공권으로 탑승하여 뉴질랜드의 한 공항으로 가면, 내 이름이 적힌 피켓을 들고 있는 사람이 있을 테고, 그를 따라가서 경비행기를 타고 특정 장소로 이동 후, 준비된 배를 타고 최종 장소로 이동할 수 있다는 거군. 그런데, 여권은….'

　도진은 자신의 사진과 이름이 정확하게 새겨진 여권을 보았다.

'어? 이 사진은 내가 촬영한 적이 없는데. 분명 내 얼굴이 맞긴 하는데, 도대체 이걸 누가…….'

이번에는 항공권을 자세히 살폈다. 하지만 지금까지 한 번도 여객기를 통해 어딘가로 가본 적이 없던 그는 이 항공권의 진위를 스스로 판단할 수 있는 정보가 없다.

도진은 갑자기 무언가가 떠올랐는지, 자신의 두 손으로 머리를 긁으며 조금은 불쾌한 듯한 표정을 지었다.

'다시 날 괴롭히는 건가.'

이제는 다니지 않는 학교. 그 학교에서 자신에게 가해졌던 일들이 다시 떠오른 탓에 도진은 불쾌함을 감출 수 없었다.

'누군가가 나에게 장난을 치고 있는 게 맞나보군. 지독한 놈들. 학교를 그만뒀는데도. 일단, 이 여권과 항공권은 가짜임이 틀림없을 테니 발급처에 가서 사실 여부 확인을 받고 신고를 해야겠어. 더는 나에게서 그 시절의 기억을 떠올리게 하지 않겠어. 나쁜 자식들.'

다음 날, 도진은 여권과 항공권의 진위를 확인하기 위해 이른 아침부터 몸을 움직였다. 그리고 그만큼 그 결과를 빠르게 확인할 수 있었다. 그의 기대와는 다르게 여권과 항공권은 모두 진짜이고, 그는 그 결과에 심히 당황했다.

'그럴 리가 없잖아. 항공권은 그럴 수 있다 치더라도, 여권은…. 내가 발급받은 적이 없는 진짜 여권이 우편물을 통해 왔다는 건 큰 범죄고 그만큼 공적 업무 처리 과정에 허점이 있었다는 거야.

바로 경찰과 관공서에 신고해야겠어.'

도진은 거주지역의 경찰서를 향해 발걸음을 옮겼다. 하지만 이내 다른 생각이 한가지 들었다.

'잠깐만. 위조 여권도 아니고 항공권도 사용이 가능한 진짜라면, 그 자식들이 장난으로 할 수 있는 스케일이 아니야. 사실도 아닌 것을 지어내어 뒷말이나 해대고, 유치하게 사람을 따돌리기나 하는 수준 낮고 소심한 녀석들이 이렇게까지 일을 크게 꾸미지는 못해. 게다가 항공권은 가격이…. 어쨌든 그 자식들 짓은 아니야. 그렇다 면 도대체 누가 이런 짓을….'

문득 무언가가 떠오른 도진은 경찰서로 향하던 발걸음을 다시 자신의 집으로 되돌렸다. 그리고 도착하자마자 태블릿 컴퓨터에 저 장해둔 그 웹사이트에 접속하여 게시판으로 진입했다.

게시판에는 도진이 처음으로 접속해본 이후 새로운 글들이 수십 건 등록되었고, 최근의 게시글들은 대부분 초대장에 관한 것이다.

'뭐야…. 이 웹사이트 운영자가 회원들에게 보낸 거였어? 도대체 이 웹사이트의 정체가 뭐야. 뭐길래 나도 모르는 나의 여권까지 뚝 딱 만들어내고, 지도에도 없는 섬으로까지 회원들을 불러 모을 수 가 있지?'

도진은 호기심이 발동했다. 이제 누군가의 장난인지 아닌지는 그 의 관심사가 아니다. 만약 장난이라면 무슨 목적으로 이런 이상한 장난을 치는 것일지 알고 싶었고, 웹사이트를 꾸민 내용이 진짜이 고 이 초대장이 그것과 관련된 목적이라면, 그 사실을 조금 더 깊 게 탐구해보고 싶었다. 어느 쪽이든 그의 호기심을 불러일으키기에는 충분하고도 남았다.

얼마 후, 결국 도진은 몇 가지의 짐만 간단하게 꾸려서 여행길에 올랐다. 초청장에는 숙박과 식사, 그리고 생활에 필요한 용품 일체를 지원한다고 명시되어 있었기에 두 손 가볍게 출발을 한 것이다.

다양한 교통수단을 통해 3일에 걸쳐 도착한 곳은, 끝에서 끝까지 걸어서 20분이면 갈 수 있을 정도의 크기를 가진 태평양의 한 작은 섬이다.

사방으로는 바다가 끝없이 펼쳐져 오로지 수평선만이 보이고, 섬 안에는 녹색의 풀들과 나무가 자라고는 있으나 엉성하고 그 모양 새가 어색한 데다가, 심지어 그 수가 적어 휴양지 또는 번듯한 관광지로 쓰이는 땅은 아닌 것이 분명해 보인다.

땅 위에 자리 잡은 30채의 단층 목조 주택과 내부가 텅 빈 커다란 창고 두 채는 마치 누군가가 어떤 목적을 위해 최근에 급조한 것 같은 느낌을 준다.

그곳에서 도진은 정확히 정체를 알 수 없는 3명의 사람과, 자신을 이곳으로 이끈 그 웹사이트의 회원들임이 틀림없는 17명의 사람을 만났다. 얼핏 봐도 그들의 국적은 다양해 보였다.

섬의 한쪽 귀퉁이에 있는 커다란 창고 건물에서 그들이 모두 모인 직후, 각자에게는 주최 측에 의해 통역기와 두껍고 무거운 랩톱 컴퓨터가 하나씩 주어졌다. 랩톱 컴퓨터는 시중에서 흔히 볼 수 있는 그런 종류가 아니고, 그 성능과 기능, 모양새가 남다르다. 그리고 그 고성능 랩톱 컴퓨터에는 이 섬에서 지내는 동안 참고해야 할 내용과 각종 기술자료 등이 보기 좋게 정리되어 있다.

세계 곳곳에서 이곳으로 모여든 회원들 모두는 주최 측이 자신들을 이곳으로 오게 만든 이유에 대한 의문이 들었겠지만, 일단은 그것을 겉으로 표현하지 않은 채 그저 서로를 탐색하고 경계를 하는 데 시간을 썼다. 그리고 잠시 후, 주최 측의 대표 격으로 보이는 사람이 모두를 집중시켜 그 이유와 목적을 밝혔다.

그 대표는 자신들을 '전달자'라고 소개했다. 무엇을 전달하기에 그런 명칭으로 자신들을 표현하는지는 알 수 없다. 이상하리만치 기계적인 표정과 몸의 움직임을 보이며, 마치 초급영어 강사처럼 정확하고 딱딱한 영어를 구사하는 그들은 대형 스크린에 빔프로젝터로 화면을 만들어 프레젠테이션을 시작했다.

그리고 3시간 후, '전달자'는 이곳에 모인 과학 분야 천재 17명에게 임무를 부여했다. 그 임무라는 것은, 우주 어딘가에서 지구로 다가올 거대 물체로부터 인체의 설계도, 즉 유전체를 무사히 보전하는 것이다.

전달자는 '인류 구출'이 아닌 '인간의 유전체 보호와 유지'라는 표현을 썼다. 그 말인즉, 여느 영화에서처럼 인류와 지구상의 생명체를 최대한으로 구출하는 감성 짙은 임무가 아닌, 그저 인체 디자인 정보를 지켜내는 것이 목표로 주어진 것이다.

이곳에 모인 천재 17명은 그 임무를 무작정 따를 필요는 없다. 강제성을 띠지는 않은 것이다. 하지만 그 누구도 일방적으로 주어진 그 임무를 거부하지 않았다. 그것에는 제각각의 이유가 있겠지만, 공통적인 이유는 아마도 순수한 호기심일 것이다. 평범한 사람들과는 행동 양식과 생각 자체가 다른 천재 17명은 지구의 파괴와 인류의 종말 그 자체보다는, 단지 고도화된 과학적 이론을 현실화시킨다는 자체에 집중했다.

그리고 이 임무의 리더는 차도진으로 선정되었다. 이유는 단순했다. 세계 곳곳에 숨겨져 있던 천재들을 이곳으로 모이게 한 발단이 된, 그가 그 웹사이트에 장난삼아 게재한 '지구로부터 탈출하는 방법'이 그 이유였다. 그것을 실제로 구현하기로 결정되어 모인 것이기 때문에, 그 어떤 이의가 없이 차도진이 리더로서 적임자가 되었다.

그 사실 하나만으로 차도진이 별다른 저항을 받지 않고 순순히 리더가 된 것은 아니었다. 이들 사이에서는 딱히 리더의 성향을 도드라지게 보이는 사람이 없고, 그 지위에는 관심도 없었다. 그들을 이곳으로 불러모은 '전달자'들은 다음날 모두 이 섬을 떠나기로 되어있었기에 리더의 역할을 할 누군가는 필요했다. 그래서, 어차피 17명 모두가 리더라는 지위에 욕심이 없다면 누가 되더라도 상관없었다. 그랬기에 차도진이 리더로 선정된 것에 대한 불만이나 이의가 없었다.

다음날, 자신들의 정체를 제대로 밝히지도 않고 임무에 필요한 말들만 건넨 '전달자'들은 이 섬을 떠났다. 이 중요한 임무에서 무언가 역할을 할만도 했지만, 그들은 원래 그러기로 계획되어 있었

246

다는 듯 미련 없이 동시에 이 섬을 떠난 것이다. 그제야 몇몇 회원들은 '전달자'들의 정체를 궁금해했다.

거의 빈손으로 이 섬에 와서 기껏해야 숙식과 생활용품, 그리고 랩톱 컴퓨터 하나를 받아, 뜬금없이 막중한 임무를 부여받은 이들이 아무런 지원도 없이 그것을 해낼 리는 만무하다. 아무리 두뇌의 성능이 뛰어나고 재능과 재주가 좋은 정예 구성원이라고 해도, 맨 땅에 헤딩하는 식으로 고도화된 과학적 이론을 실제 기술로 구현한다는 것은 분명히 무리가 있다.

그러나 그나마 다행인 점은, 감히 상상도 하기 어려울 정도로 거액의 추진비가 추가로 이들에게 주어졌다는 것이다.

그렇게 세계 각국에서 모인 천재 17명은 그 섬에서 약 2년 정도를 함께 머무르며 연구와 실험을 거듭하여 어떤 성과를 냈고, '네닉 시스템'으로 명명된 프로토타입 통합형 차원분석기를 한국에 설치하여 추가 연구와 기술적 작업을 이어나가기로 합의가 되었다.

그렇게 그 섬에 첫발을 디딘 지 2년쯤이 지나 본국의 땅을 다시 밟은 도진은 국토 남쪽의 한 공업 도시, 그리고 그 외곽지역의 빈터와 낡은 공장 건물 등을 매입하여 '네닉 시스템'의 설치작업을 본격적으로 시작하게 된다.

다른 우주로 탈출

 벽면에 걸려있는 거대한 타이머에서 나타내는 가장 왼쪽 숫자가 30에서 29로 바뀌었다. 약 29분 후면 본격적으로 다른 우주로의 이주 작업이 시작된다는 의미이다. 그러자 갑자기 이 공간에 머무르고 있는 모든 연구 기술원과 로봇들이 분주해졌다.

 현재 도진과 그의 동료들이 머무르고 있는 공간은 이 지하에서도 가장 높은 곳에 있으며, 테니스장 세 개를 붙여놓은 정도의 넓이에 온갖 전기장치들이 꽉 들어차 있는 중앙제어실이라는 곳이다. 명칭 그대로 전체 시스템의 기능을 제어하고 통제하는 곳인데, 도진을 비롯한 35명의 연구, 기술원들이 머무르고 있다.

 이곳에서 가장 상위 결정권자는 차도진이다. 이 집단의 구성 체계가 계급구조를 이루고 있는 것은 아니기에 도진이 다른 사람에게 강압적으로 지시하는 모양새는 아니지만, 리더라는 역할에 따라 그의 지휘하에 모든 것들이 최종 결정되었다.

30분 남은 시점부터 초읽기가 시작되자, 로봇들은 12개의 기둥 주변으로 지름 5cm 정도에 높이 10m의 금속 막대 여러 개를 세워 고정시키기 시작했다. 그것들은 바닥에 대충 세워지는 것이 아닌, 그것이 고정될 위치를 찾아 세우는데 하나에 1분이라는 시간이 걸릴 정도로 세밀한 작업이다. 굉장히 정밀한 계산과정을 거치는 것이다. 그러고는 몇 가지 케이블과 작은 장치들도 그 주변에 함께 설치되기 시작했다.

그 모습을 가만히 지켜보는 창우에게 다시 긴장감이 솟아올랐다. 그 누구도 시도해보지 않은 인류 최초의 행위, 심지어 자신의 의지로서가 아닌 어떤 위험을 감수해야 하는 부담감은 언제나 긍정적이고 낙천적 성격인 그로서도 이겨내기가 쉽지 않다. 하지만 대신, 그 긴장감은 오래지 않아 가라앉을 것이다.

그러던 중, 갑자기 창우의 귀에서 어떤 말소리가 들렸다. 두 사람의 대화이고, 한 명은 유창한 영어를 쓰고 다른 한 명은 어색한 발음의 영어를 쓰는데, 언쟁을 벌이는 듯 조금은 격한 뉘앙스였다.

내용인즉, 약물을 쓰면 위험하다는 의견과 저 사람의 긴장 상태가 더 위험하다는 의견의 충돌이었다. 중앙제어실에서 창우의 신체 상태를 점검하던 중에 그의 긴장 수치가 급격히 올라가는 것이 포착되었고, 한 명은 진정제를 쓰자는 의견을, 다른 한 명은 그래서는 안 된다는 의견으로 맞붙은 것이다. 그 과정에서 창우의 귀에 꽂혀있는 수신 장치로 말을 전하는 스위치가 켜진 것 같았다.

그들이 그러던 중 도진이 급하게 나타나 언쟁을 손쉽게 중재했는데, 진정제를 써서는 안 된다는 것이 결론이었다. 과정이 진행되는 중 여러 가지 자극이 창우의 신체로 전해질 텐데, 약물을 쓰면 그러한 자극에 올바르게 반응하지 않아 이미 분석된 창우의 신체 데이터를 기본으로 한 계산에 차질이 생기므로, 자연적인 상태로 두어야 한다는 게 이유였다.

그 일이 진정되자, 이번에는 가로길이가 3m는 될만한 모니터가 로봇에 의해 창우의 눈앞에 설치되었다.

'아, 저기서 내가 봐야 하는 코드가 나타나겠구나.'

그리고 잠시 후, 창우의 주변에서 분주하게 움직이던 로봇들이 일제히 사라졌다. 창우의 눈에는 그 장면이 마치 자신으로부터 후퇴하는 적으로 느껴질 정도로 그 움직임이 빨랐다.

현재 창우의 주변과 머리 위로는 거대한 금속 기둥 여러 개가 서로의 몸을 맞대며 교차해 서 있고, 그 거대함에 어울리는 기계장치들 역시도 자신들만의 역할을 하느라 분주하게 움직이며 진동과 소음을 내고 있다. 그 외에도 창우의 주변으로는 수많은 장치와 전선들이 설치되어 있어 그 위압감은 굉장하다.

창우는 그것들의 가운데 혼자 서서 그 위압감을 감당해내고 있다.

이제 도진은 물론이거니와 로봇들도 더는 창우의 곁으로 오지 않는다. 그리고 타이머의 숫자는 어느새 10를 지나 9로 내려갔다. 본격적인 시스템 가동까지 10분이 채 남지 않았다는 의미이다.

그때 창우의 귀에 꽂힌 장치에서 도진의 목소리가 들렸다.

"들리지?"

창우는 고개를 크게 위아래로 두 번 끄덕였다.

"몸을 움직일 필요는 없어. 그냥 하고 싶은 말을 생각만 하면 돼. 음…. 9분 후에 시작될 거야. 그때부터는 너의 앞 모니터에 나타나는 기호를 읽는 데만 집중해. 하나의 기호를 집중해서 보고 다음으로 넘어가는데, 그 이전에 읽었던 기호와 다음 기호를 의식해서는 안 돼. 알겠지?"

'알겠어.'

"우리가 만든 시스템은 완벽하게 작동할 거니까, 네가 차분하게 일을 잘 해주면 어떤 문제도 없을 거야. 그리고 코드를 읽는 동안에는 특정할 수 없는 몇몇 신체적 증상이 나타날 거야. 하지만 보조장비들이 그 증상들을 최대한 줄여줄 테니까 크게 걱정할 필요는 없어."

'알겠어.'

그러자 도진의 목소리가 끊겼고, 이제 기계장치들이 작동하는 여러 소음만 이 공간을 떠돌게 되었다.

벽에 걸려있던 모든 디지털 카운터가 숫자 0을 나타냈다. 그러자 창우의 귀로 다시 말소리가 들렸다. 도진의 목소리는 아니다.

"영어로 하는 말을 정확히 이해할 수 있습니까?"

'가능합니다.'

그는 조금은 딱딱한 발음의 영어로 말을 하기 시작했다.

"좋습니다. 지금부터 앞의 모니터에 나타나는 문자들을 왼쪽 위부터 오른쪽으로 하나씩 읽어가면 됩니다. 모두 578페이지입니다.
그럼 시작하세요."

그 말이 끝남과 동시에 창우의 앞에 설치된 대형 모니터에 어떤
문자들이 빼곡하게 나타났다. 회색 바탕에 검은색, 빨간색, 파란색,
녹색 등이 뒤섞인 문자들은 모두 태어나 처음 보는 기호들이다.

예행연습 없이 바로 실전에 들어간 창우는 순간 당황했지만, 곧
정신을 다잡고 그것들을 하나씩 눈으로 담기 시작했다.

'웅' 또는 '윙' 하는 기계음과 진동이 조금씩 커졌고, 창우 주변
으로는 온도가 조금씩 상승하여 마치 한여름의 불볕더위와 같다.
하지만 창우를 보호하고 있는 액체가 창우의 체온을 유지해주고
있기에 그는 그것을 느끼지는 못했다.

우뚝 솟은 기둥들의 끝부분에서는 마치 하늘에서 번개가 치는
것처럼 강렬한 빛이 수시로 반짝였고, 그와 함께 순간순간 굉음도
뒤따랐다.

중앙제어실에서는 도진을 비롯한 그의 동료들이 미동도 하지 않
은 채 시스템의 작동 상태를 주시하며, 혹시 모를 위기상황이나 변
수에 대비하려는 듯 각자가 맡은 도구나 장치들 위에 손을 올려두
고 있다.

그렇게 네닉 시스템을 통한 탈출 과정은 창우가 코드를 읽는 것
으로부터 본격적으로 시작되었고, 모니터를 가득 채운 작고 빽빽한
기호 세트는 순식간에 10페이지를 지나 20페이지를 향해 가는 중
이다.

다행히 창우는 특별한 문제 없이 그것들은 자신의 눈으로 담아

내고 있다. 그와 함께 중앙제어실의 한 모니터 화면에는 무언가로 가득 채워지고 있다. 그것은 창우가 코드를 읽기 전에는 하얀 스케치북처럼 비어있던 화면이다. 그 화면이 지금은 무언가로 채워지고 있는 것이다. 그것은 설계도면 같기도 했고 추상적 그래픽 같기도 하다.

그렇게 약 1시간이 지났다. 준비된 코드의 마지막 페이지가 모니터에 출력되었고, 창우는 그것이 마지막 페이지인 줄도 모른 채 기계적으로 읽어나갔다. 혹자는 그 행위를 별 것 아니라고 생각할 수도 있겠지만, 창우는 현재 대단한 집중력과 인내력을 발휘하는 중이다. 단 한 번의 집중 이탈에도 오류가 발생할 수 있는 이 작업은 책이나 영상을 잠자코 보는 것과는 분명히 달랐기에 결코, 누구나 쉽게 할 수 있는 일은 아니다.

코드가 채워진 마지막 페이지가 나타나고 잠시 후, 그래픽이 채워지고 있는 모니터의 가운데에서 그것을 보고 있던 한 연구원이 심각한 표정으로 말했다.

"잘못 인식된 부분이 생겼습니다."

그러자 도진이 물었다.

"어느 부분입니까?"

"지표면 구성성분 중 한 가지에 문제가 생겼습니다. 전체 대비 0.035퍼센트입니다."

그 말을 들은 도진의 표정은 평온했으나 주변의 다른 연구원들은 심각한 표정을 잠시 지었고, 그중 다른 연구원 하나가 급한 몸짓으로 컴퓨터 앞으로 가 무언가를 하기 시작했다. 그리고 약 20초 후 큰 소리로 말했다.

"코드 원본 자체는 문제가 없습니다. 변환되는 과정에서 오류가 발생한 것 같습니다."

그 말을 들은 도진이 그의 곁으로 가 물었다.

"매개체로부터의 문제입니까? 아니면 우리 시스템의 문제입니까?"

"지금 당장은 그 원인을 정확히 알기 어렵습니다. 분석을 해봐야 합니다."

"그렇다면, 일단은 오류가 생긴 부분을 고쳐야겠네요. 얼마나 걸립니까?"

"수정은 3분 정도면 됩니다. 그런데, 그것보다 전체 계획의 지연이…."

"음…. 일단 오류 정정부터 시작하죠."

"알겠습니다."

도진은 재빨리 자리를 옮겨 작은 마이크를 집어 들고는 말했다.

"박창우, 들려?"

잠시 할 일이 없어진 창우가 멍한 상태로 정신을 놓고 있을 때, 갑자기 그의 귀에 들린 목소리에 깜짝 놀라 몸을 움찔한 후 고개를 크게 끄덕였다.

"작은 오류가 생겼어. 그래서 모니터에 코드 일부가 다시 출력될 거야. 조금 전처럼 그대로 읽어주면 돼."

그 말이 끝남과 동시에 검은색으로 꺼진 듯 보이던 모니터에 조금 전처럼 코드들이 빼곡히 들어찼다. 그리고 창우는 이미 습관이 된 것처럼 무의식중에 그것을 읽어나갔다.

중앙제어실에는 긴장감이 감돌았다. 그 공간에 있는 모든 연구원과 기술자들이 손가락 하나 까딱하지 못한 채 각자의 앞에 놓여 있는 모니터만 응시했다.

잠시 후, 드디어 누군가가 정적을 깼다.

"오류, 수정되었습니다. 1차, 2차 작업 완료되었습니다."

다른 우주와의 전송로가 무사히 열렸고, 곧 모두가 가야 할 목표 우주의 어느 한 편에 지구와 같은 환경을 만들 수 있는 데이터 덩어리가 완전하게 제작되었다는 의미이다. 아니, 정확하게는 도진과 그의 동료들이 의도한 환경 데이터가 만들어졌다는 것이다.

하지만 그것은 초반 필수 작업의 일부 완성에 지나지 않았다. 도진의 동료들이 현재 완료되었다고 한 것은 목표 우주로 전송해야 할 데이터가 적절하게 변환되었다는 그 자체일 뿐, 그것을 목적지로 전송해야 하는 단계가 아직 남아 있기 때문이다.

다음 단계로, 만들어진 데이터를 전송로를 통해 차원의 벽을 지나 수신 측으로 전송시켜야 하는데, 현재의 수준에서는 일단 그것을 일방적으로 발송은 하지만 수신 상태를 점검하거나 확인할 수는 없다. 편지를 보냈으나 수신자가 그것을 확인했는지 알 수 없는 것과 같은 이치다.

다만, 이곳에서 처음 보내는 데이터 덩어리에는 그와 관련된 기능을 하는 코드가 포함되어 있으므로, 그것이 목표에 정상적으로

255

주입되어 작동하게 된다면 기본적인 양방향 전송 시스템이 구축된다. 그러면 그 이후로 목표에 수신되는 데이터들은 발신과 수신부가 서로 대조되어, 그 결과를 발신자 측에서 알 수 있게 되는 것이다. 즉, 이 우주와 그 우주 사이에 자유롭고 정확한 통신이 가능해진다는 의미다. 그만큼 창우와 그의 역할은 이 프로젝트에서 중요하다.

"다음 단계 시작합시다."

도진의 그 말에 중앙제어실이 다시 분주해지기 시작했다. 이제 창우가 애써 만들어 낸 환경 데이터를 비롯한 중요한 첫 번째 데이터 덩어리를 목표인 다른 우주로 보내야 하는 단계가 되었다.

약 2분 후, 여기저기서 자신이 맡은 작업이 완료되었다는 보고가 들어왔다.

"LW8 부분 작업 완료."

"PB12 부분 작업 완료."

"NMU 부분 작업 완료."

…

"28723개 데이터 세트 확인 완료되었습니다. 전송을 시작합니다."

그런데, 갑자기 한 연구원이 큰 소리로 문제가 생겼음을 알렸다.

"전력 소모량이 갑자기 치솟았습니다!"

그 말에 모두는 그 원인을 찾느라 키보드를 빠르게 타자하는가 하면, 두 손에 묵직한 도구를 쥐고 기계장치와 두꺼운 전선 또는 생소한 형태의 선들이 가득 찬 곳으로 가 무언가를 조작하는 등 급하게 움직였다. 그들의 움직임으로 봤을 때, 지금 발생한 이 문제가 예상 가능했거나 작은 문제가 아님은 확실해 보인다.

그리고 잠시 후, 다시 한 연구원이 큰 소리로 말했다.

"전력 소모량이 안정되었습니다!"

그리고 그 말을 디렉터가 받았다.

"원인은 찾았습니까?"

그의 질문에 어떤 연구원도 응하지 않았다. 원인은 모른다는 의미이다.

"28번과 31번이 전력 관련 부분을 계속해서 지켜봐 주시고, 다시 계획대로 과정 시작합시다."

계획된 과정이 다시 시작되었고, 도진이 자신의 옆에 앉아 있는 연구원에게 물었다.

"시간…. 지금 어느 정도 차질이 생겼습니까?"

"5분 5초입니다."

"5분 5초라…."

도진은 아주 살짝 찡그린 표정으로 무언가 고민을 하는 듯 눈을 잠시 감았다 떴다. 고민을 했다고 하기에는 너무도 짧은 시간이었지만 분명 그 순간 무언가를 결정했다.

"파일럿 스캔은 완료되었습니까?"

파일럿이란 창우의 역할을 의미하는 내부 용어로, 그는 디렉터에게 창우의 신체 정보가 수집되어 전송 가능한 형태로 데이터화 되었는지 물었다. 디렉터란 도진이 그 역할을 하지 못하는 상황이 생

257

겼을 시 그를 대신하여 지휘하거나, 보조하는 역할을 맡은 직책이다. 그 역시도 동료들에게 일방적 명령을 한다거나 수직적인 관계를 지향하지는 않았다.

"78.3퍼센트 진행 중입니다."

"문제는?"

"현재까지는 없습니다."

"알겠습니다. 출력을 조금 올려보죠. 의도는 작업 시간 단축입니다. 동의하십니까?"

"그렇게 해보죠."

그때, 디렉터의 말을 전달받은 한 연구원이 자신의 근처에 있던 어떤 장치를 빠르게 조작했다. 그러자 액체 속에 있는 창우의 몸이 떨리며 어떤 기계음이 더 크게 들리기 시작했다. 창우는 자신의 몸이 떨리는 것에 크게 당황하였지만, 이 특이한 탈출 과정에 적응이 되었는지 이제는 마음을 가라앉히고 순순히 견디었다.

도진은 다시 디렉터에게 물었다.

"시간을 조금 더 단축할 방법이 있을까요? 오류로 잃은 시간을 최대한 보상할 수 방법 말입니다."

"알다시피…. 이미 최대로 가동 중인 상태입니다. 무리하게 시스템에 부하를 걸거나 전력을 더 사용하게 되면 큰 부작용이 있겠죠."

"음…. 결국, 사람을 빼야 하겠군요."

"지금으로서는 그 방법밖엔 없겠네요. 그리고…. 만약 계획에서 더 틀어지는 일이 생긴다면, 그 수가 계속해서 늘어나겠죠."

"그렇겠군요."

대화를 끝낸 도진은 자신의 동생인 진성을 불렀다.

"준비시켜줘. 소란이나 소동을 피우지 않도록 주의시키고."

그러자 진성은 자신이 할 일이 무엇인지 잘 아는 듯 그의 말에 대꾸도 하지 않은 채 큰 대기실로 달려갔다. 피난민 대기실은 표현 그대로, 재난 상황에서 인근 주민들이 임시 대피소로 모인 것과 비슷한 장면과 분위기를 연출하고 있다.

그곳으로 간 진성은 자신의 손에 들려있는 노트를 반복해서 보며, 그들을 명단에 적힌 순서대로 줄지어 세운 후 그 자리에 앉혔다. 그 모습은 군대 훈련소에서 신병을 다루는 것과 비슷해 보였다.

진성은 마치 군대 훈련소의 교관이라도 된 것처럼 두 손을 자신의 허리에 얹힌 채 다리를 조금 벌려 서서, 턱에 힘을 주고 허리를 곧게 세운 자세를 취하고는 앉아 있는 사람들을 향해 말했다.

"질서 있게 정렬하세요. 거기! 두 명이 나란히 앉지 말고 한 명씩 한 줄로 앉으라고요. 두 번 말하게 할겁니까?"

진성의 딱딱하고 위압적인 말투에 모두는, 그러한 지적을 당하지 않았더라도 괜히 몸을 조금씩 움직이며 그의 말에 따르려는 의지를 보였다.

이곳에는 계획된 피난민 명단에 없는 사람이 모두 9명 포함되어 있다. 당연히 그들은 쫓겨났다. 그리고 이 중에는 예은의 가족들도 포함되어 있는데, 그들은 다행히 창우로 인한 도진의 억지 배려로 명단에 포함되었기에 정식 피난민으로 받아들여졌다.

그녀의 가족들은 자동차의 속도 한계치를 넘나들 정도로 과속 운전을 하여 조금 전에 도착한 것이다. 예은의 가족들이 무사히 도착해 있는 상태라는 사실을 창우는 아직 알지 못하고 있다.

"지금 앉은 순서대로, 차례로 입장할 겁니다. 소지하고 있는 물건은 하나도 가지고 갈 수 없으니 저쪽 한구석에 모으세요."

모두는 그 어떤 의문이나 불만을 제기하지 않고 진성의 지시에 순순히 따랐다.

잠시 후, 진성은 벽 한쪽에 놓인 상자에서 무언가를 하나 꺼내어 들었다. 그것은 길이가 성인의 평균 키 되는 얇은 담요이다. 담요의 재질은 특이해서 일반적인 면이나 합성 섬유는 아니고, 금속 성분이 많이 포함되어 거친 표면을 가지고 있다. 그저 모양새나 용도가 담요 같아 보일 뿐이다.

그는 그것을 손에 들고는 말했다.

"옷은 전부 벗고, 이 담요로 몸을 가리고, 다음 지시가 있을 때까지 대기하고 있으면 됩니다. 자, 실시하세요."

이제 막 탈출 과정에 참여한 사람들로서는 다소 당황스러운 그의 지시에, 그 누구도 그의 말에 즉시 따르지 않았고, 조금씩 웅성대기 시작했다. 그러자 진성이 위압적인 말투로 다시 말했다.

"옷은 전부 벗고! 대기하라고 했습니다. 계속 두 번 말하게 할 겁니까?!"

그러자 그중 남자 한 명이 상자에 든 담요를 가져온 후 자신의 옷을 벗기 시작했고, 그제야 그 주변에서 한 둘씩 그를 따라 옷을

260

벗는 행동을 시작했다. 그 누구도 아직은 의문을 제기하지 않는 중이다. 독특한 탈출 과정이라는 것을 대다수는 이미 알고 있기에, 그 준비과정도 독특하다고 받아들인 것이 그 이유이다. 하지만 여성들은 자신의 옷을 벗는 시늉만 할 뿐 적극적인 행동을 보이지 않고 있다.

예은이 팔을 위로 들며 물었다.

"갑자기 옷은 왜 벗어야 합니까?"

진성은 예은을 노려보며 그 질문에 응했다.

"옷을 벗어야 여러분들이 우리 시스템을 이용해 피난할 수 있습니다."

진성은 짧게 답을 했지만, 어차피 그것이 자신이 아는 전부였다. 각자의 고유 신체 정보를 수집하는데 옷이 있으면 방해가 된다거나, 미리 준비하고 있어야 시간을 절약할 수 있다거나, 옷의 재질에 따라 정전기로 인해 민감한 시스템의 구동에 방해가 된다거나, 강한 전자기장으로부터 몸을 보호해야 한다거나 하는 등의 전문적인 수준까지는 알지 못했다. 그저 단순히 자신이 해야 할 일만 정확히 알고 있을 뿐이다.

"그런데, 여기 남자들도 있는데 다른 곳에서 갈아입고 오면 안되나요?"

그 말을 들은 진성은 거친 표정으로 응했다.

"여자들은 뒤쪽에서 옷을 갈아입도록 하고, 남자들은 앞쪽에서 옷을 갈아입도록 하세요. 제가 다 되었다고 말할 때까지 서로 뒤돌아보지 않도록 하십시오. 자, 시작."

예은은 잠시 망설이다가 여자 중 가장 먼저 담요를 가져왔고, 잠시 주변을 두리번거리다 남자들이 모두 시선을 피한 것을 확인하고는, 대기실의 뒤쪽 벽에 붙어서 벽을 바라보며 담요를 두른 채 겉과 속옷을 하나씩 벗었다. 그러자 다른 여자들도 그녀의 행동을 따라 하기 시작했다.

거대한 위기를 피해야 하는 지금 이 상황에서는 인권이라거나 편의라는 개념은 무조건 사치이다. 그저 효율과 안전이 먼저이기에 모든 행위는 간결하게 진행이 되어야 한다. 게다가 완전히 무료로 안전한 곳으로 대피하는 것이기에 피난민들은 그저 시키는 대로 해야 하는 약자에 불과하고, 객관적으로 봤을 때 그편이 서로에게 좋다.

약 5분 후, 모든 대기자가 알몸이 되어 그들의 몸 위로는 얇은 담요 하나만 둘렸다. 진성은 만족한다는 듯 조금은 거만한 표정을 지으며 말을 이었다.

"이 상태로 다음 지시가 있을 때까지 대기하도록 하겠습니다."

몇 명이 '네.'라고 대답했지만, 대부분은 입을 다문 상태였다. 그리고 중앙제어실에서는 대기실과는 다른 느낌의 묵직한 긴장감이 공간을 메우고 있다.

"98퍼센트 진행되었습니다."

창우의 신체 정보가 98% 수집되었다는 의미로 한 연구원이 허공으로 말했다. 그러자 도진은 자신 주변의 수많은 모니터 중 창우의 모습이 출력되고 있는 한 모니터를 집중했다. 모니터 화면 속의 창우는 마치 술에 취한 것처럼 눈을 반쯤 감은 채 몸의 곳곳이 순간적으로 움찔거렸고, 머리카락은 한 올도 빠짐없이 위로 치솟아 마치 빠르게 레일을 달린 롤러코스터에서 막 내린 모양새처럼 되어있다.

"100퍼센트, 스캔 완료되었습니다. 데이터 가공과 최종 상태 확인 시작합니다."

'웅' 하는 기계음을 배경으로 한 정적 상태가 1분 흘렀다. 그리고 그때, 또 다른 연구원의 목소리가 정적을 깼다. 그 목소리는 마치 혼잣말을 하듯 작았지만, 그저 배경 노이즈 외에 불필요한 잡음이라고는 없는 이 공간에서는 확성기에 대고 말하는 것처럼 들렸다.

"이거 이상한데…."

그 연구원은 도진을 비롯한 다른 모든 연구원과 기술자의 시선을 동시에 받았다. 그는 표정이 굳은 채 바쁘게 손으로 무언가를 타자하며 자신의 주변으로 놓여 있는 5대의 모니터를 번갈아 보았고, 그 화면들에서는 온갖 복잡한 문자와 그래픽이 빠르게 스크롤 되거나 전환되는 등 무언가 복잡한 연산이 계속해서 이루어지고 있다는 것을 보여주고 있다.

도진과 디렉터가 급한 발걸음으로 그에게 다가갔다.

"무슨 문제입니까?"

연구원은 하던 일을 하며 도진의 말을 받았다.

"데이터에…. 잡신호가 끼어있습니다."

"노이즈? 며칠 전 최종 테스트 때는 이런 적이 없었는데, 원인이 뭡니까."

연구원은 도진의 말에 대답하지 못한 채 그저 자신의 눈과 손을 바쁘게 움직였다. 그리고 잠시 후, 굳은 표정으로 말했다.

"입자 파동감지 센서와 광자 제너레이터의 타이밍이 몇 군데 순간적으로 어긋난 것 같습니다. 이건, 하드웨어 모듈에 문제가 생긴 것으로 보입니다."

그러자 도진은 조금의 지체도 없이 소리를 질렀다.

"기술팀, 들으셨죠? 관련 부 하드웨어 점검 시작해야 합니다!"

그리고 도진은 사무실의 한편으로 뛰어가 묵직한 도구 몇 가지를 챙기고는, 기술자들과 함께 복잡한 기계장치들이 얽혀있는 곳으로 급히 뛰었다. 그에 따라 인공지능 로봇들도 일제히 기술자들을 따랐다.

목적지에 도착하여 흩어진 기술자들은 일사불란하게 온갖 장치들과 두꺼운 랩톱 컴퓨터를 곳곳에 펼쳐놓고 무언가를 하기 시작했다. 그중에는 도진도 끼어있다. 도진의 그런 성급한 움직임은 아마도 일생에 처음이 아닐까 싶을 정도로 평소와는 그 움직임이 달랐다.

그렇게 7분이 지났고, 시간은 어김없이 흐르고 있다.

숙취 상태인 것처럼 몽롱한 창우의 시야에는 바쁘게 그 앞을 스쳐 지나는 여러 사람이 보였다. 그는 무슨 일이 발생한 것인지 전혀 알지도 못한 채 유리통 안의 끈적한 액체에 자신의 몸을 지탱

하고만 있다. 그는 자신의 눈앞에 도진을 비롯한 기술자들이 이렇게 바쁘게 움직이는 장면이 보이는 것도 계획된 탈출 과정의 하나라고 여겼는지 심각하게 생각하지는 못했다. 어쩌면 그것보다, 신체 정보를 수집하는 과정에서의 영향으로 인해 몽롱한 상태가 되어, 사고력과 판단력이 떨어진 것이 그 이유일 수도 있겠다.

3분이 더 지났다. 누군가가 갑자기 내지른 목소리는 모든 스텝의 귀에 꽂혀있던 통신 이어폰으로 전달되었다.

"원인을 찾은 것 같습니다. MLS-L 모듈의 216번 설정값에 0.78 마이너스 오차가 발생해 있습니다. 모듈 교체가 필요합니다."

그 보고를 들은 도진은 의아했다.

'216번 설정값에만 이상이 생겼다? 이상한걸.'

"훼손이나 파손된 흔적이 있습니까?"

그러자 조금 전 보고를 했던 그 기술자가 잠시 뜸을 들인 후 답을 했다.

"아니요. 겉보기에 문제는 없습니다. 과전압이 걸린 것도 아닌 것 같고, 습기나 진동 등의 외부 요인이나 충격을 받은 흔적도 없습니다. 아. 잠시만요……. 모듈 케이스를 고정하는 RT타입 볼트가 풀렸던 흔적이 조금 보입니다. 아주 미세하지만, 분명히 한번은 풀렸다가 다시 잠긴 게 틀림없습니다."

한 부품에 문제가 생겼다는 말을 듣고 어딘가로 급하게 뛰어갔던 다른 기술자 한 명이 자신의 얼굴 크기만 한 금속 뭉치를 왼쪽 어깨에 인 채 나타났다.

그리고 약 1분 후 다시 모두의 통신 이어폰으로 목소리가 들려왔다.

"완료, 조치 완료되었습니다. 이상 없습니다."

"알겠습니다. 다른 문제점은 없습니까? 기술팀 모두 확인됐습니까?"

그러자 곳곳에서 응답이 왔다.

…

"UI-1번, 2번 구역, 전체 이상 없습니다."

"HN제어기와 결합부 이상 없습니다."

"전력공급단 아직 확인 중, 23초 더 소요 예정입니다."

"AI-C, 전체 파츠 이상 없습니다."

…

그렇게 모든 기술자가 자신이 맡은 부분을 확인 후 보고했고, 결론은 이제 더는 문제 될만한 부분이 없다는 것이다.

"알겠습니다. 그러면 문제가 생긴 단계부터 다시 실행합니다."

도진은 침착한 말투로 동료들을 이끌고 있지만, 조금 전 이상이 생겼다고 보고받은 부분에 대해 계속해서 의문을 가지며 생각이 요동치는 중이다.

'MLS 모듈에서 설정값 하나에만 문제가 생겼다니, 모든 설정값이 다 틀어졌다면 모를까 그 하나에만 문제가 생길 수는 없어. 그런데…. RT볼트가 풀렸다가 다시 조여진 흔적이 있다? 그렇다는 건….'

중앙제어실 안이 다시 바빠졌다. 그리고 여기저기서 각기 다른 목소리들이 서로의 귀로 공유되었다.

"파일럿 신체 스캔 재시작합니다. 실행. 정상적으로 실행되었습니다."

도진의 표정에는 미묘한 긴장감이 감돌고 있다. 그는 계속해서 자신의 앞에 놓인 여러 가지의 디지털 시계와 타이머, 그리고 수많은 정보를 출력 중인 모니터들에 눈길을 주었다.

"100퍼센트 완료. 가공, 체크 시작합니다."

그리고 잠시 후, 보고사항이 공유되었다.

"완료되었습니다. 문제 없습니다."

그 말에 도진이 즉시 응했다.

"다음 단계 진행하세요."

"환경 데이터 전송 예비 과정 시작합니다. 전송로 체크중, ... 이상 없습니다. 전송 시작할까요?"

"시작해주세요."

"시작했습니다."

이주해야 하는 다른 우주로, 생존의 기본적인 환경을 구축하기 위한 데이터가 전송로를 통해 출발했다는 의미이다. 도진과 그의 동료들이 만든 시스템은 완벽에 가깝지만, 어떤 일이든 100%라는 것은 없기에 예상할 수 없는 변수가 다시 나타날 수도 있다. 그러므로, 완벽하다고 보고된 데이터가 무사히 목표로 전송될지는 사실 어느 정도는 운에 맡겨야 한다.

소수의 인류가 피난할 목표 지점인 다른 우주에서는, 이곳 지구에서 보낸 데이터들이 본격적으로 수신되기 시작했다. 순차적으로 전송 중인 데이터 뭉치의 세 번째 패키지가 저쪽 우주에 도달하자, 그저 '아무깃도 없는' 그곳에서 거대한 에너시 요소를 응축하여 담고 있던 에너지 뱅크가 열렸다. 그리고 그와 동시에 그 안에 있던 에너지 요소들은 순식간에 폭발적으로 배출되어 '아무것도 없던' 그곳에 무언가를 만들어내기 시작했다.

먼저, 공간이 만들어지기 시작했다. 무언가로 채워질 수 있는 공간이 생성되는 것이다. 에너지 요소들이 엉켜 특정한 구조로 조합된 공간 구성 물질은 멈춤 없이 꾸준한 확장을 시작했다. 그것은 마치 원래부터 브레이크가 없는, 끝없이 펼쳐진 고속도로를 달리는 자동차 같다.

그리고 공간이 만들어지기 시작한 자리에서부터 특정한 넓이로 유리처럼 맑은 재질의 표면이 생성되었고, 에너지뱅크로부터 배출된 일부 에너지 요소들이 어떤 물질로 조합되더니 그 위에 무언가를 만들었다. 그것은 이주를 오게 될 인류가 이곳을 삶의 터전으로 만들기 위한 필수적이고 핵심 장치이다.

그렇게 새로운 우주 시스템이 가동되기 시작했고, 그 시작점이 구축되었다.

"파일럿의 상태는 어떻습니까?"

도진이 창우의 현재 상태에 대해 묻자, 조금 멀리 떨어진 곳에서 한 연구원이 그 물음에 응했다.

"혈압과 체온이 약간 높아진 상태이지만 정상범위 안에 있습니다. 곧 안정될 것 같습니다."

도진은 안도를 담은 것은 분명해 보이는 한숨을 길게 내쉬었다. 하지만 그것은 과정이 진행되는 동안 창우의 신체와 건강에 이상이 생기지 않아서가 아니다. 전체 과정에서 가장 중요한 부분이 순조롭게 진행되었다는 것에서 나타난 안도감이다. 창우의 건강에 문제가 없다는 것은 곧 목표 지점에도 문제가 없다는 것을 의미한다.

물론 원래의 계획에서 약간의 차질은 생겼으나, 그 변수는 어떤 희생으로 적절한 보상이 가능할 것이다.

"전송로 유지 상태와 원본 대조작업 가능 여부 확인해주세요."

그리고 약 2분이 지났다.

"현재 전송로는 안정적입니다. 원본 대조작업은 3분 후에 가능합니다."

원본 대조작업이란 새로이 생성된 다른 차원의 우주에서, 이곳에서 보낸 데이터 뭉치를 정상적으로 수신하고 오류가 없는지 확인하는 과정을 뜻한다.

그 보고를 들은 도진이 고개를 돌려 창우가 나타나는 모니터를 보았다. 그러고는 말했다.

"파일럿, 전체 오프하세요."

그러자 해당 부분의 업무를 담당하는 기술자가 화면을 보며 타자를 했다. 그리고 그의 손이 멈추자, 캡슐 내부의 장치들에 어떤 변화가 생겼고, 창우의 몸은 힘없이 축 늘어지며 무릎을 먼저 바닥에 댄 후 끈적한 액체에 몸을 맡기며 바닥으로 웅크리듯 쓰러졌다.

"오프 되었습니다."

이제 창우는 더는 이 우주에 속한 지구인이 아니게 되었다. 이른바 영혼이라고 칭하는 개념의 그것이 이 우주에서 나른 우주로 넘어간 것이다.

- 2부에서 계속 -